Le Cid

(1637-1660)

PIERRE CORNEILLE

ALAIN COUPRIE

Professeur des universités

Sommaire

© Hatier, Paris, 2005   ISSN   0750-2516   ISBN   2-218-74885-1

Maquette : Tout pour plaire

Mise en page : Graphismes

Le Cid (1637 ; remanié en 1660)

Pierre Corneille (1606-1684)

Théâtre   XVIIe siècle

RÉSUMÉ

Acte I : Le comte don Gomès donne son consentement au mariage de sa fille Chimène avec Rodrigue, fils de don Diègue. Mais au sortir d'un conseil des ministres, le Comte prend violemment à partie don Diègue : il s'indigne que le roi ait confié à ce dernier la charge de précepteur du prince. Le Comte soufflette don Diègue. C'est l'affront. Don Diègue est toutefois trop âgé pour se battre en duel. Il somme donc Rodrigue de tuer à sa place le père de Chimène !

Acte II : Malgré l'interdiction du roi, les deux hommes s'affrontent. On apprend la mort du Comte. Chimène, qui doit désormais venger son père, se change aussitôt en implacable ennemie de Rodrigue.

Acte III : Chimène confie à sa « gouvernante » Elvire qu'elle continue malgré tout d'aimer Rodrigue. Celui-ci vient précisément lui offrir sa tête. Chimène refuse de le tuer. Les deux jeunes gens déplorent leur triste sort. Retrouvant son fils que le désespoir accable, don Diègue l'envoie combattre les Maures qui s'apprêtent à attaquer le royaume.

Acte IV : Rodrigue revient victorieux du combat. Chimène n'en continue pas moins d'exiger du roi qu'il châtie Rodrigue. Le roi use alors d'un stratagème : il fait croire à Chimène que Rodrigue n'a pas survécu à ses blessures. Chimène défaille aussitôt. Le roi la rassure et lui demande de pardonner à l'assassin de son père. Chimène refuse et fait appel à un champion pour défendre sa cause. Don Sanche s'offre à combattre pour elle.

Le Roi ordonne que Chimène devra épouser le vainqueur, quel qu'il soit. Le duel se déroule et don Sanche revient pour déposer son épée aux pieds de Chimène. Croyant Rodrigue mort, Chimène laisse éclater au grand jour son amour. Rodrigue surgit alors, explique qu'il n'a pas voulu tuer don Sanche qui se battait pour Chimène. Celle-ci demande un délai de décence avant d'épouser Rodrigue. Le roi le lui accorde et envoie Rodrigue poursuivre les Maures jusque chez eux (acte V).

PERSONNAGES PRINCIPAUX

– **Don Diègue** : âgé, respecté pour ses exploits militaires, il est un noble intransigeant sur l'honneur et un père pathétique.
– **Le comte Don Gomès** : général en chef des armées royales, le père de Chimène est un noble orgueilleux et violent.
– **Rodrigue** : jeune et valeureux, il devient le type même du héros cornélien en accomplissant tous ses devoirs.
– **Chimène** : amoureuse de Rodrigue, qui, en ne sacrifiant pas l'honneur à sa passion, finit par la faire triompher.

CLÉS POUR LA LECTURE

1. La loi de l'honneur
La morale aristocratique impose de ne jamais laisser un affront impuni. Il faut tuer qui vous a déshonoré.

2. Un amour déchiré
Bien qu'ils s'aiment passionnément, Rodrigue et Chimène sont contraints de douloureusement s'opposer.

3. L'héroïsme
La pièce évoque une conception particulière de l'héroïsme, qui aboutit à la plénitude de soi.

4. Tragi-comédie et tragédie
En 1637, Corneille dénomme sa pièce « tragi-comédie » qu'il baptise plus tard « tragédie ».

PREMIÈRE PARTIE

Résumé
et repères
pour la lecture

ACTE I

Bonheur et inquiétude

RÉSUMÉ

Chimène apprend de sa « gouvernante[1] » Elvire que son père, le comte don Gomès, consent qu'elle épouse Rodrigue, fils de don Diègue. La nouvelle réjouit la jeune fille, car elle aime depuis longtemps Rodrigue en secret. Aussi, tout à son bonheur, Chimène presse-t-elle Elvire de lui donner de plus amples précisions. Convoqué par le roi don Fernand, le Comte n'a pas toutefois eu le temps d'en dire plus à Elvire. Soudain Chimène s'inquiète : n'est-ce pas trop beau pour être vrai ?

REPÈRES POUR LA LECTURE

Une scène d'exposition

L'exposition a traditionnellement pour fonction d'informer le spectateur du sujet principal de la pièce et d'en présenter les principaux personnages. L'intrigue roulera donc sur le mariage de Chimène et de Rodrigue, dont les deux familles appartiennent à la plus haute noblesse du royaume de Castille.

Techniquement, cette scène d'exposition prend la forme, également traditionnelle, d'une conversation qui a débuté dès avant le lever du rideau (I, 1, v. 1, 2, 7) : le spectateur est d'emblée plongé dans l'action.

---

1. *Gouvernante* : à la cour et dans le monde aristocratique, femme d'expérience à qui on a confié la garde et l'éducation d'une jeune fille.

De la comédie vers la tragédie

Le mariage de deux jeunes gens est, au XVIIᵉ siècle, le sujet privilégié de la comédie, tandis que la tragédie évoque de grands problèmes politiques. Mais si tout commence comme dans une comédie, d'inquiétants indices apparaissent progressivement. Que va décider le roi qui a convoqué le Comte ? Le pressentiment de Chimène va-t-il se vérifier ? L'atmosphère s'alourdit.

ACTE I, SCÈNE 2

Désespoir et devoir d'une princesse

RÉSUMÉ

Fille aînée du roi, l'« Infante » confie ses souffrances à Léonor, sa « gouvernante ». Elle aime Rodrigue. Mais, en tant que princesse, elle ne peut épouser qu'un roi ou un futur roi. Or Rodrigue n'est ni roi ni prince. Il lui faut donc sacrifier sa passion à son devoir.

REPÈRES POUR LA LECTURE

Un personnage tragique

L'« Infante » est héroïque et déchirée : héroïque, parce qu'elle est résolue à tenir son « rang » (I, 2, v. 92) de princesse ; déchirée, parce que sa résolution lui fait souffrir « un tourment incroyable » (I, 2, v. 113). Il lui faut lutter contre son amour en favorisant l'union de Chimène et de Rodrigue. Aussi s'exprime-t-elle souvent sous forme d'antithèses qui soulignent son désarroi : « Ma plus douce espérance est de perdre l'espoir » (I, 2, v. 135).

La querelle des pères

RÉSUMÉ

Coup de théâtre : contre toute attente, le roi a désigné don Diègue comme « gouverneur » (précepteur) militaire du prince. Déçu dans son ambition, le Comte prend à partie son rival. Une querelle s'ensuit, qui bientôt s'envenime. Le Comte donne un « soufflet » à don Diègue. C'est l'affront, déshonorant, irrémédiable, qui ne peut se laver que dans le sang. Don Diègue esquisse un geste pour se battre en duel. Mais, trop âgé, sa force l'abandonne. Le Comte se retire plein d'arrogance et de mépris pour le vieil homme.

REPÈRES POUR LA LECTURE

Le déclenchement du drame

Orgueilleux, coléreux, révolté, le Comte accuse don Diègue d'avoir obtenu « par brigue » (I, 3, v. 219), par intrigues et manœuvres, la charge prestigieuse de « gouverneur » du prince. La conséquence en est immédiate : blessé dans son amour-propre, le Comte revient sur son accord de voir Chimène épouser Rodrigue.

Une progression dramatique

Le rythme se fait de plus en plus intense. Au début, don Diègue s'efforce d'apaiser le Comte. Plus âgé, il est plus maître de lui ; honoré par le roi, il peut se montrer conciliant ; et il souhaite le mariage de son fils. Mais plus don Diègue s'efforce de calmer le débat, plus le Comte s'emporte et l'insulte. Don Diègue en perd à son tour son sang-froid. Aussi l'échange s'accélère-t-il entre les deux hommes qui se répondent vers à vers. Ce procédé, dit de la stichomythie, traduit la montée de la tension jusqu'au « soufflet » fatal.

Un désespoir absolu

RÉSUMÉ

Resté seul, don Diègue se lamente sur son âge qui le réduit à une honteuse impuissance. Lui qui a jadis victorieusement commandé les armées de Castille ne peut même plus tirer son épée pour se battre en duel ! C'est donc à son fils Rodrigue de laver l'affront fait au nom que tous deux portent, et d'aller provoquer le Comte.

REPÈRES POUR LA LECTURE

Un monologue pathétique

Bien qu'il soit seul en scène, don Diègue se parle à lui-même, à haute voix. C'est le principe du monologue dont la justification est ici psychologique. Don Diègue est si désespéré qu'il ne peut que clamer sa détresse. Expression de sa souffrance, son monologue devient pathétique. Sa faiblesse actuelle (I, 4, v. 237-240) contraste avec le souvenir de sa gloire passée (I, 4, v. 241-245), et l'accable de honte.

Un faux dialogue

Un monologue est toujours une convention, un artifice de théâtre, qui permet au spectateur d'accéder à l'intimité d'un personnage. L'apostrophe à des interlocuteurs imaginaires atténue cette convention. Don Diègue s'adresse tour à tour au Comte (I, 4, v. 251-254) et à son « fer » (I, 4, v. 255-260). Le monologue se dissimule et s'achève sous un faux dialogue.

Une fin spectaculaire

L'épée que porte don Diègue matérialise la vengeance (I, 4, v. 260) ainsi que la nécessité de laver l'honneur bafoué. À Rodrigue désormais de l'assumer. Les craintes de Chimène n'étaient pas vaines.

La primauté de l'honneur

RÉSUMÉ

Sans révéler l'identité de son « agresseur » (I, 5, v. 285), don Diègue relate à son fils l'affront qu'il vient de subir. Scandalisé, Rodrigue s'offre aussitôt à venger l'honneur familial. Contre qui doit-il se battre ? Contre… le père de Chimène.

REPÈRES POUR LA LECTURE

Rodrigue mis à l'épreuve

Le but de don Diègue est de décider Rodrigue à combattre le père de celle qu'il aime. Aussi lui faut-il d'abord vérifier si son fils partage sa conception de l'honneur. Il le fait en mettant Rodrigue à l'épreuve :
– d'abord en l'insultant pour tester ses réactions : demander à Rodrigue s'il a du « cœur » (I, 5, v. 261), c'est-à-dire du courage, équivaut à l'injurier, car c'est laisser entendre qu'il pourrait manquer de bravoure. L'indignation de Rodrigue prouve le contraire ;
– ensuite en insistant longuement (I, 5, v. 275-281) sur l'exceptionnelle valeur de l'adversaire pour voir si Rodrigue en éprouverait la moindre peur ;
– enfin en ne dévoilant que le plus tard possible le nom de l'« offenseur » pour ne pas laisser à Rodrigue le temps de se ressaisir.

De brutales relations père-fils

Si don Diègue et Rodrigue érigent l'honneur en loi suprême, ils n'en sont pas moins différents l'un de l'autre. Don Diègue ne témoigne d'aucune affection paternelle : « Meurs ou tue » (I, 5, v. 275), dit-il crûment à son fils. Il refuse par ailleurs de prendre en considération l'amour de Rodrigue pour Chimène, dont le bonheur personnel ne le préoccupe pas.

De l'hésitation à la décision

RÉSUMÉ

Resté seul, Rodrigue vacille sous le coup qui le frappe, hésite, exprime son trouble et sa souffrance. Réduit à vivre dans l'infamie s'il ne venge pas son père, assuré de perdre Chimène s'il le venge, il n'entrevoit aucune solution satisfaisante. L'idée du suicide l'effleure. Mais sa mort volontaire passerait pour une dérobade et une lâcheté. Rodrigue prend donc progressivement conscience qu'il n'a pas le choix : il lui faut se battre !

REPÈRES POUR LA LECTURE

Un monologue en forme de stances

Les stances se distinguent de la strophe par leur organisation, par leur structure métrique et par leur unité de sens.

Les six stances que prononce Rodrigue possèdent un nombre identique de vers (dix). Leur composition est hétérométrique[1] : un octosyllabe, quatre alexandrins, un vers de six syllabes, un décasyllabe, de nouveau un vers de six syllabes, puis deux décasyllabes. La disposition des rimes obéit à un schéma constant du type : a, bb, a, c, d, e, f, e, f. Enfin chaque stance forme une unité de sens complet, dont les deux derniers vers présentent la même construction grammaticale (interrogative ou exclamative), donnant l'impression d'un refrain.

Un lyrisme pathétique

Ces stances relèvent de la poésie lyrique, dans la mesure où Rodrigue y expose son conflit intérieur. L'importance du

---

1. *Hétérométrie* : vers de différente longueur.

champ lexical de la souffrance, le jeu permanent des antithèses, la certitude que tout bonheur est désormais impossible
les colorent de pathétique.

Par honneur et par amour

La scène est dramatique, car elle débouche sur une décision (I, 6, v. 346-350). Au terme de son long débat, Rodrigue
s'aperçoit qu'il n'y a pas de contradiction entre son devoir et
son amour. Refuser le combat serait lâcheté, et Chimène ne
pourrait plus aimer un lâche. Rodrigue s'attirerait ses « mépris »
(I, 6, v. 324) en ne se vengeant pas. L'amour et l'honneur lui
commandent d'accomplir son devoir. (➔ LECTURE 1, p. 106).

ACTE II

ACTE II, SCÈNE 1

L'intervention du roi

RÉSUMÉ

Au nom du roi, don Arias somme le Comte de présenter
ses excuses à don Diègue. Refus du Comte : s'excuser serait
déshonorant. Don Arias le menace des pires châtiments en
cas de désobéissance. Le Comte s'en moque. Le roi a trop
besoin de lui pour se priver de ses services !

REPÈRES POUR LA LECTURE

L'enjeu se politise

Le conflit s'élargit : de privé qu'il était jusqu'ici, il devient
politique. Le roi ne peut laisser se déchirer les deux plus puis-
santes familles de son royaume sans réagir. Son autorité se
révèle toutefois limitée. Le Comte est aussi prompt à la colère

qu'à la révolte. Menacé de sanctions, il menace à son tour de se rebeller contre son roi, les armes à la main s'il le faut (II, 1, v. 376-382). Le « soufflet » tourne à l'affaire d'État.

ACTE II, SCÈNE 2

Le duel

RÉSUMÉ

Rodrigue provoque le Comte en duel, que celui-ci cherche d'abord à éviter. Non par lâcheté mais par pitié pour Rodrigue qui lui paraît trop jeune et trop facile à vaincre. Rodrigue multiplie les provocations. C'est irrémédiable.

REPÈRES POUR LA LECTURE

L'intérêt dramatique

Jusqu'au dernier moment, le pire ne semble pas le plus certain. Admirant le courage et plaignant l'inexpérience de Rodrigue, le Comte tente par trois fois (II, 2, v. 411, 438, 440) de faire renoncer son jeune adversaire. « As-tu peur de mourir ? » (II, 2, v. 440), lui rétorque ce dernier. La question est injurieuse. L'accélération et la vivacité des répliques (procédé de la stichomythie) témoignent de l'échauffement des esprits. La scène s'achève lorsque s'échangent les premières passes d'armes. Qui va l'emporter ?

L'éloquence oratoire

Frappés comme des maximes, certains alexandrins sont devenus des proverbes :
– « Je suis jeune, il est vrai ; mais aux âmes bien nées/La valeur n'attend pas le nombre des années » (II, 2, v. 405-406).
– « À qui venge son père, il n'est rien d'impossible./Ton bras est invaincu, mais non pas invincible » (II, 2, v. 417-418).

– « À vaincre sans péril, on triomphe sans gloire » (II, 2, v. 434).

La vigueur de la scène s'en trouve renforcée.

ACTE II, SCÈNES 3, 4, 5

L'insupportable attente

RÉSUMÉ

L'« Infante » s'efforce de consoler Chimène qui, si elle a appris l'affront, ignore encore que son père et Rodrigue se mesurent déjà les armes à la main (scène 3).

Un page informe les deux jeunes femmes qu'on a vu Rodrigue et le Comte s'éloigner des abords du palais en se querellant. Ivre d'angoisse, Chimène s'élance à leur poursuite (scène 4).

L'« Infante » renaît à un espoir insensé. Si Rodrigue tue le Comte, son mariage avec Chimène devient en effet impossible ; et si Rodrigue triomphe d'un tel adversaire, quels exploits n'accomplira-t-il pas par la suite ! Peut-être se taillera-t-il un royaume à la pointe de son épée. Elle pourrait ainsi l'épouser ! Sa « gouvernante » la rappelle à plus de sagesse et de réalisme.

REPÈRES POUR LA LECTURE

Deux héroïsmes féminins

Chimène, à travers son désespoir (II, 3, v. 448-456, 480), laisse transparaître les principes qui dicteront sa conduite. L'honneur qui impose à Rodrigue de venger son père lui imposera à son tour de venger son propre père s'il vient à mourir (II, 3, v. 459-460). Elle se montre ainsi l'égale de Rodrigue.

L'héroïsme de l'« Infante » se révèle en comparaison plus romanesque. Elle se prend à rêver d'un Rodrigue courant d'exploit en exploit qui le rendrait digne d'elle (II, 5, v. 545-546).

Le sort des deux femmes est ainsi étroitement lié au duel qui est en train de se dérouler. Leur amitié n'exclut pas toutefois la défense de leurs intérêts.

ACTE II, SCÈNES 6 ET 7

Double drame

RÉSUMÉ

Don Arias rend compte au roi de l'échec de sa mission auprès du Comte dont le jeune et fougueux don Sanche tente d'excuser la conduite : un homme tel que lui, dit-il, est trop fier pour se soumettre sans résistance. Le roi le reprend sèchement : il n'y a jamais de déshonneur à obéir à son souverain. Il s'apprête à sanctionner le Comte quand on lui annonce l'arrivée prochaine des « Maures » (des Arabes) ennemis traditionnels de la Castille. Ordre est aussitôt donné de doubler la garde (scène 6). On apprend sur ces entrefaites la mort du Comte (scène 7).

REPÈRES POUR LA LECTURE

Une métaphore[1] politique

Le débat avec don Sanche permet au roi de préciser sa conception de la monarchie. Un royaume forme, selon lui, un vaste corps dont les sujets sont les « membres » et dont le souverain est la tête (« le chef », II, 6, v. 598). C'est donc à

---

1. *Métaphore* : image qui rapproche deux éléments sans utiliser de terme de comparaison (« comme », « tel » etc...). Au lieu de dire : le royaume est comme un corps, le roi dit : le royaume est un corps.

la tête de commander et aux « membres » d'exécuter. Cette métaphore corporelle illustre la suprématie du pouvoir royal dont la mission première est de veiller au bon fonctionnement de tout l'organisme.

La montée de la tension dramatique

Deux événements accélèrent l'action et accroissent l'inquiétude. La victoire de Rodrigue déplace l'intérêt vers Chimène : que va-t-elle faire désormais ? Peut-elle encore aimer le meurtrier de son père ? Avec le Comte disparaît par ailleurs le général en chef des armées de Castille. Sa mort survient au moment où se précise une attaque ennemie. Privé de son meilleur guerrier et stratège, le royaume est en danger. L'assassinat du Comte retentit sur le destin collectif de l'État.

ACTE II, SCÈNE 8

« Sire, justice ! »

RÉSUMÉ

Chimène se jette aux pieds du roi, implore justice et réclame le châtiment de l'assassin de son père, c'est-à-dire la mort de Rodrigue. Don Diègue prend aussitôt la défense de son fils pour assumer l'entière responsabilité du drame. Le roi s'accorde un délai de réflexion avant de rendre son verdict.

REPÈRES POUR LA LECTURE

Une situation tragique

Chimène se trouve dans la même situation que Rodrigue après la scène du « soufflet ». Comme il devait sous peine d'infamie venger l'honneur familial, Chimène se doit, sous peine de manquer à son devoir, de venger la mort de son père. La voilà donc contrainte de poursuivre l'homme qu'elle a toujours aimé. Les liens du sang s'opposent chez elle aux liens de la passion. C'est le type même de tragique que privilégie Corneille dans ses pièces.

Un réquisitoire implacable

La manière dont Chimène s'efforce de rallier le roi à sa cause est d'une extrême habileté, tant sur le fond que dans la forme. Sur le fond, Chimène fait valoir que la mort de son père affaiblit le royaume et qu'il est en conséquence de l'intérêt du roi de sévir. Ne pas punir l'assassin du meilleur de ses sujets découragerait chacun de servir son monarque (II, 8, v. 681-696). Dans la forme, Chimène use de tous les moyens pour susciter et capter la pitié du roi. Par le procédé de l'hypotypose[1], elle impose littéralement la vision du cadavre de son père (II, 8, v. 659-660). L'anaphore[2] du « sang » (II, 8, v. 661, 662, 663) en renforce l'horreur et le pathétique. Chimène se pose en victime digne de la plus grande compassion.

ACTE III

ACTE III, SCÈNES 1, 2, 3

Mourir d'aimer

RÉSUMÉ

Rodrigue se présente chez Chimène dans l'espoir d'obtenir d'elle une entrevue. Elvire le supplie de ne pas chercher à revoir sa maîtresse (scène 1). Pendant ce temps, don Sanche propose à Chimène, dont il est amoureux, de la venger en

---

1. *Hypotypose* : l'ensemble des procédés qui permettent de rendre une description animée et frappante.
2. *Anaphore* : répétition d'un ou de plusieurs mots en tête de vers ou de plusieurs membres de phrase.

provoquant Rodrigue en duel. Celle-ci décline son offre : c'est au roi qui lui a promis justice, d'agir (scène 2).

Don Sanche reparti, Chimène confie à Elvire ses tourments et sa douleur. Bien que l'honneur lui impose de réclamer la tête de Rodrigue, elle continue à l'aimer. Elle n'en accomplira pas moins son devoir. Mais elle est résolue, sitôt qu'elle aura obtenu satisfaction, à mourir à son tour.

REPÈRES POUR LA LECTURE

Deux comportements parallèles

Soumis à des devoirs contradictoires, Rodrigue accomplit chacun d'eux successivement. Après s'être conduit en fils exemplaire en lavant l'honneur de son père, il se montre un « amant »[1] fidèle en se soumettant par avance au verdict de Chimène (III, 1, v. 753-756).

Chimène évolue de son côté de la même façon. Elle accomplira son devoir quoiqu'il lui en coûte ; mais par amour pour Rodrigue, elle refusera de lui survivre (III, 3, v. 847-848). Si la mort du Comte les sépare, le même souci de leur réputation les réunit. En demeurant ainsi dignes l'un de l'autre, ils n'en inspirent que davantage de pitié.

---

1. Un « amant » désigne au XVIIe siècle celui qui aime et qui est aimé en retour sans idée de liaison. L'« amoureux », lui, n'est pas payé de retour.

La cruauté du devoir

RÉSUMÉ

Rodrigue se présente devant Chimène pour, dit-il, recevoir la mort de sa main. Chimène refuse tout net : elle ne veut pas être son « bourreau » (III, 4, v. 939). Rodrigue tente alors de la convaincre. C'est pour rester digne d'elle qu'il a tué le Comte. Ne pas le faire aurait été une lâcheté. Comment Chimène aurait-elle pu aimer un lâche ? C'est à son tour maintenant d'accomplir son devoir. Aussi vient-il, par amour et respect, lui offrir sa tête. Constatant leur mutuelle grandeur d'âme, les deux jeunes gens pleurent sur leur destinée qui s'annonçait heureuse et que le sort a si brutalement brisée.

REPÈRES POUR LA LECTURE

Une entrevue atroce

Revoir Rodrigue est pour Chimène difficilement supportable. Le meurtrier de son père lui impose sa présence quelques heures seulement après le drame ! Et l'épée de Rodrigue est encore teinte du sang du Comte (III, 4, v. 858-867) ! Bien qu'elle témoigne de son absolue soumission à Chimène, la demande de Rodrigue n'en est pas moins d'une absolue cruauté : comment Chimène pourrait-elle le tuer sur le champ ? Celle-ci, qui manque de défaillir (III, 4, v. 855), ne peut qu'exprimer le surcroît de souffrance que lui cause l'irruption soudaine de Rodrigue (III, 4, v. 865-868).

Une impasse tragique

Cette entrevue n'est pourtant pas une scène de reproches. Chimène comprend les motivations de Rodrigue : « Tu n'as fait le devoir que d'un homme de bien » (III, 4, v. 911), lui dit-elle. Mais en accomplissant son devoir, Rodrigue oblige Chimène à accomplir à son tour le sien (III, 4, v. 931-932).

C'est l'impasse : Chimène n'a pas d'autre choix que de se dresser contre Rodrigue.

Un duo élégiaque[1]

Sachant que tout bonheur leur est désormais interdit, Chimène et Rodrigue déplorent ensemble leur destin. Leurs paroles se font écho en une sorte de chant plaintif (III, 4, v. 895-991). Leurs répliques deviennent symétriques : ce sont les mêmes exclamations (III, 4, v. 985) et interrogations (III, 4, v. 987). L'un termine la phrase que l'autre a commencée (III, 4, v. 988-989). Un même regret les réunit. La scène s'achève en une élégie bouleversante. (➜ LECTURES 2 et 3, p. 111 et 116).

ACTE III, SCÈNES 5 ET 6

Des retrouvailles en forme de séparation

RÉSUMÉ

Don Diègue se réjouit que son fils l'ait vengé. Mais il craint que les nombreux amis du Comte ne cherchent en représailles à tuer Rodrigue (scène 5).

Retrouvant son fils qu'il n'a pas revu depuis le duel fatal, don Diègue l'accueille avec effusion. Rodrigue, quant à lui, laisse percer son désespoir. S'il ne regrette rien, il se désespère d'avoir à jamais perdu Chimène. Aussi ne songe-t-il qu'à mourir. Don Diègue l'envoie alors combattre les Maures qui se rapprochent de Séville. Si Rodrigue tient tant à mourir, qu'il périsse au moins avec gloire sur un champ de bataille ! Mais, lui fait remarquer son père, une victoire sur l'ennemi serait le meilleur moyen de contraindre le roi au pardon, de forcer

---

1. *Élégie* : poème lyrique exprimant une plainte douloureuse ou des sentiments mélancoliques. Par extension, désigne tout texte dont le thème est la plainte.

Chimène au silence et peut-être même de regagner son cœur. Rodrigue prend le commandement d'une petite troupe armée, composée des amis de son père (scène 6).

Un désaccord définitif

Les retrouvailles de don Diègue et de Rodrigue consacrent en réalité leur rupture. Les deux hommes ne se comprennent plus. Le père ne mesure pas le drame de son fils, et le fils n'admet pas l'insensibilité de son père.

Pour don Diègue seul importe en effet l'honneur. C'est un « devoir » qui l'emporte de loin sur l'amour qui, lui, n'est qu'un « plaisir » (III, 6, v. 1059). Que Rodrigue oublie Chimène et qu'il s'attache à une autre femme (III, 6, v. 1058) ! Cette suggestion du « change » (III, 6, v. 1062) scandalise Rodrigue, à qui l'infidélité paraît aussi déshonorante que la lâcheté (III, 6, v. 1063-1065). S'il ne regrette pas d'avoir vengé son père, Rodrigue s'estime désormais quitte de toute obligation envers lui. « Ce que je vous devais, je vous l'ai bien rendu » (III, 6, v. 1052), lui dit-il. C'est un constat de séparation.

La relance de l'action

Entre Chimène et Rodrigue, l'action est figée et sans issue. Seule l'intervention d'événements extérieurs peut la faire évoluer. L'arrivée des Maures survient à point pour la faire progresser. Rodrigue pourra-t-il vaincre l'ennemi ? Son éventuelle victoire suffira-t-elle à lui obtenir la clémence du roi, à fléchir Chimène ? L'intérêt dramatique rebondit.

ACTE IV

La victoire

RÉSUMÉ

Elvire apprend à Chimène l'éclatante victoire de Rodrigue sur les Maures : non seulement il les a mis en déroute, mais il a fait prisonniers les deux chefs maures qui les commandaient. Séville en liesse s'apprête à fêter son retour. Pour autant Chimène n'entend pas renoncer à sa vengeance. Comment oublierait-elle que Rodrigue a tué son père ? (scène 1).

L'« Infante » l'exhorte au contraire à oublier. En triomphant des Maures, lui explique-t-elle, Rodrigue est devenu indispensable au salut de la Castille. Chimène se grandirait à faire passer l'intérêt général avant l'honneur de sa famille. Celle-ci s'y refuse avec énergie (scène 2).

REPÈRES POUR LA LECTURE

Un renversement de situation

La victoire de Rodrigue modifie son statut : il était un assassin, le voici un héros national. Son exploit l'érige, malgré son jeune âge, en digne successeur du Comte à la tête des armées. La position de Chimène s'affaiblit en conséquence. Il est en effet peu probable que le roi accepte sa requête de punir Rodrigue et qu'il se prive ainsi du plus valeureux de ses sujets. Chimène est désormais seule : seule à pleurer au milieu de la joie populaire, seule à vouloir la mort du vainqueur (IV, 1, v. 1135-1141). Elle n'en devient que plus pathétique.

Espoirs secrets de l'Infante

Les conseils de l'Infante à Chimène sont politiquement raisonnables. Rodrigue est désormais nécessaire à l'État. Mais si l'Infante réagit en princesse soucieuse du sort de son pays, elle est aussi une jeune femme qui aime secrètement Rodrigue. Dans ces conditions, conseiller à Chimène d'oublier Rodrigue (IV, 2, v. 1187-1190), c'est éliminer une rivale, donner champ libre à sa propre passion et à ses rêves amoureux.

ACTE IV, SCÈNE 3

Un morceau de bravoure

RÉSUMÉ

Le roi accueille Rodrigue en sauveur de la patrie et, pour l'honorer, l'autorise à porter le surnom de « Cid » (en arabe : Sidi, Seigneur) que les chefs maures, vaincus par lui mais admiratifs de sa valeur, lui ont donné. Rodrigue entreprend alors le long récit de son combat.

REPÈRES POUR LA LECTURE

Un récit vivant

Au théâtre, tout doit être action. Or un récit est par nature statique : il ne montre pas ce qui est en train de se passer, il rapporte ce qui s'est déjà produit. Il faut donc que le récit soit le plus alerte possible. Celui de Rodrigue l'est grâce à trois principaux procédés :
– la dramatisation : l'issue du combat demeure longtemps indécise. Après un moment de flottement (IV, 3, v. 1285-1288), l'ennemi se reprend (IV, 3, v. 1294-1296). La mêlée devient si furieuse qu'aucun des deux camps ne sait s'il est en train de remporter la bataille (IV, 3, v. 1301-1308). Ce n'est que dans le dernier tiers du récit (à partir de IV, 3, v. 1309) que

Rodrigue voit se dessiner la victoire.

– l'actualisation : le lecteur ou le spectateur est d'autant plus tenu en haleine que l'emploi systématique de l'indicatif présent lui donne l'impression d'assister en direct au combat.

– la rapidité des phrases : les verbes de mouvement dominent et se succèdent les uns aux autres. Par exemple : « Ils abordent sans peur, ils ancrent, ils descendent » (IV, 3, v. 1281) ou « Ils couraient au pillage, et rencontrent la guerre ;/Nous les pressons sur l'eau, nous les pressons sur terre » (IV, 3, v. 1289-1290).

Un récit épique

Au sens strict l'épopée est un long poème narratif qui se caractérise par des actions héroïques. Par extension est épique tout récit qui possède les qualités ou le style de l'épopée.

La bataille prend des allures gigantesques (IV, 3, v. 1261-1262, 1284, 1324).

Les champs lexicaux relatifs au bruit, le contraste des couleurs entre le rouge (le sang) et le noir (la nuit, les « ténèbres ») renforcent l'impression d'un affrontement sans merci.

Une série de vers l'élargit aux dimensions d'une immense lutte (IV, 3, v. 1299-1300).

Rodrigue lui-même admire les exploits de ses soldats anonymes comme autant de combats dans le combat (IV, 3, v. 1301-1302).

L'héroïsation de Rodrigue

Durant tout ce récit, Rodrigue est omniprésent : il va « de tous côtés » (IV, 3, v. 1305). Ses décisions sont instantanées et efficaces (IV, 3, v. 1306-1308). Il apparaît en permanence comme l'âme de la victoire. Il lui suffit d'ailleurs de se nommer pour que ses adversaires s'inclinent : « Ils demandent le chef ; je me nomme, ils se rendent (IV, 3, v. 1326).

Comme si sa simple présence possédait un pouvoir et

une vertu exceptionnels. Plus que vainqueur éblouissant, Rodrigue est l'éblouissement devant qui tout cède. Il est le « Moi héroïque » d'où tout procède, s'organise et triomphe. (→ LECTURE 4, p. 121).

ACTE IV, SCÈNES 4 ET 5

Rodrigue est mort !

RÉSUMÉ

À peine Rodrigue a-t-il achevé son récit qu'on annonce la venue de Chimène. Contrarié, le roi prie Rodrigue de se retirer et demande à son entourage de feindre la tristesse. Il tient à mettre Chimène à l'épreuve afin de connaître ses sentiments réels (scène 4).

Le roi l'informe que, bien qu'il soit sorti victorieux du combat, Rodrigue n'a pas survécu à ses blessures. Chimène blêmit aussitôt et défaille. Chacun interprète son malaise comme la preuve de son amour pour Rodrigue. Le roi la rassure donc sur le sort de Rodrigue et lui demande de pardonner à l'assassin de son père.

Mais Chimène se récrie aussitôt : sa défaillance, dit-elle, ne provenait que de la douleur de voir Rodrigue échapper à la justice et à sa vengeance. Comme le roi en doute, Chimène réclame l'organisation d'un duel judiciaire (problématique 4, p. 57) : elle promet d'épouser quiconque lui apportera la tête de Rodrigue ! À contrecœur, le roi autorise ce duel, mais il en modifie autoritairement l'enjeu : Chimène épousera le vainqueur, quel qu'il soit. Don Sanche s'offre à combattre pour Chimène, dont il est amoureux.

L'aveu implicite

Désormais favorable au Cid (IV, 4, v. 1333-1334), le roi invente un subterfuge afin d'éprouver les sentiments réels de Chimène. La (fausse) nouvelle de la mort de Rodrigue devrait la satisfaire puisqu'elle n'a cessé de réclamer le châtiment de l'assassin de son père. Or c'est le contraire qui se produit. Son corps dément ses paroles. Chimène change de « couleur » (IV, 5, v. 1342), s'évanouit (« se pâme », IV, 5, v. 1343). Sa défaillance est un aveu d'amour. Sitôt revenue à elle, Chimène refuse toutefois de le reconnaître. Son malaise, explique-t-elle, provient de sa déception, non de ce que Rodrigue soit mort, mais de ce qu'il soit mort glorieusement au combat, échappant ainsi à une fin déshonorante sur « l'échafaud » (IV, 5, v. 1364). C'est trop subtil pour être sincère. Contre toute raison, Chimène reste l'intransigeance même.

Le duel judiciaire

Détrompée par le roi, comprenant que le roi cherche à protéger Rodrigue (IV, 5, v. 1395-1397), Chimène en appelle au duel judiciaire. Cette « vieille coutume » (IV, 5, v. 1406) avait existé en France jusqu'au XVIe siècle. Il était destiné soit à punir un présumé coupable dont la justice n'avait pu réunir les preuves de la culpabilité, soit à châtier un homme que le roi ne voulait pas punir (pour des raisons politiques par exemple), soit à laver le suspect de toute accusation, si Dieu lui accordait la victoire. On considérait en effet que Dieu, refusant par définition l'injustice, accordait automatiquement la victoire à l'innocent ou à la victime qui se plaignait, et qu'il laissait mourir le coupable.

L'intervention du roi

En accédant, après avoir hésité, à la prière de Chimène (IV, 5, v. 1406-1425), le roi prend en réalité la défense de Rodrigue.

Pour lui, il modifie en effet les règles du duel sur deux points essentiels. D'une part, Chimène a promis d'épouser celui qui tuera Rodrigue, ce qui exclut donc qu'elle puisse épouser Rodrigue ; le roi lui ordonne d'épouser le vainqueur qui peut donc être Rodrigue. D'autre part, Chimène envisageait un nombre illimité de duels jusqu'à ce que Rodrigue succombe (IV, 5, v. 1401, 1426-1427) ; le roi n'autorise qu'un combat (IV, 5, v. 1430). Une complicité objective s'établit entre lui, Rodrigue et don Diègue (trois hommes) au détriment de Chimène, sommée d'obéir (IV, 5, v. 1432). Celle-ci est plus que jamais dramatiquement seule.

ACTE V

ACTE V, SCÈNE 1

L'aveu explicite

RÉSUMÉ

Pour la seconde fois, Rodrigue se rend chez Chimène à qui il fait part de son intention de mourir. Chimène s'en étonne : celui qui n'a craint ni le Comte ni les Maures se désespèrerait-il ? Rodrigue lui explique que c'est par respect et par amour pour elle qu'il se laissera tuer. Chimène finit par le supplier de sortir victorieux du duel afin de n'être pas contrainte d'épouser don Sanche qu'elle déteste. Rodrigue laisse alors éclater sa joie : il se sent prêt à affronter le monde entier pour obtenir la main de Chimène.

Un débat à front renversé

La scène est construite sur un habile retournement de situation. Guerrier invincible, Rodrigue veut courir à sa défaite. Chimène qui réclamait sa tête l'incite à vivre. Plus il énumère les raisons qu'il a de mourir, plus elle multiplie les objections. Tout se passe comme si les personnages avaient échangé leur rôle.

Un duel oratoire

Les arguments de Rodrigue sont :
– l'amour. En se laissant tuer par don Sanche, il montrera qu'il a été jusqu'au bout fidèle à Chimène et respectueux de ses volontés (V, 1, v. 1492).
– la gloire. « Après la mort du Comte, et les Maures défaits » (acte V, sc. 1, v. 1523), personne ne peut l'accuser de lâcheté, ni de faiblesse. Sa mort passera au contraire pour un acte d'amour (V, 1, v. 1533-1542). Sa gloire n'en sera que plus grande.
Pour détourner Rodrigue de son projet suicidaire, Chimène recourt, quant à elle, à plusieurs procédés et arguments :
– l'ironie[1] railleuse : « Don Sanche est-il si redoutable/Qu'il donne l'épouvante à ce cœur indomptable » (V, 1, v. 1473-1474) ;
– l'honneur : « [...] dans quelque éclat que Rodrigue ait vécu/Quand on le saura mort, on le croira vaincu » (V, 1, v. 1507-1508).

Poussée dans ses derniers retranchements Chimène avance son ultime et véritable argument : « Sors vainqueur d'un combat dont Chimène est le prix » (V, 1, v. 1556).

---

1. *Ironie* : figure de style, fondée le plus souvent sur l'antiphrase, qui consiste à dire le contraire de ce qu'on pense pour mieux faire comprendre qu'on pense en réalité le contraire de ce qu'on dit. Aux yeux de Chimène, don Sanche n'est pas en réalité si redoutable que Rodrigue doive se croire déjà vaincu.

Elle ne peut mieux dire son amour, sans manquer à la décence. Son malaise, à la fin de l'acte IV, était un aveu public mais implicite. L'aveu est ici privé et explicite.

Rodrigue le comprend d'ailleurs ainsi. Il se sent désormais capable d'affronter tous les ennemis de l'Espagne ensemble !

La résignation de l'Infante

RÉSUMÉ

Dans un long monologue, l'Infante clame sa douleur. La victoire de Rodrigue sur les Maures démontre à l'évidence que si Rodrigue n'est pas roi, il est digne de l'être et donc digne d'être aimé d'une princesse. Constatant toutefois que l'amour persiste entre Rodrigue et Chimène, même après la mort du Comte, l'Infante se résigne douloureusement à étouffer sa passion (scène 2). Sa « gouvernante » Léonor l'encourage à demeurer dans d'aussi héroïques dispositions d'esprit (scène 3).

REPÈRES POUR LA LECTURE

Un sacrifice définitif

Les stances[1] de l'Infante sont symétriques de celles de Rodrigue (I, 6). Alors que Rodrigue passait du désarroi à la décision, l'Infante va de la plainte à la résignation. Il n'y a donc pas à proprement parler de progression dramatique. Tout au plus l'Infante prend-elle conscience que le principal obstacle à sa passion n'est plus, comme au début de la pièce, que Rodrigue ne soit pas roi (V, 2, v. 1583-1586), mais que l'amour perdure entre lui et Chimène (V, 2, v. 1591-1592).

La marche de l'action n'en est pas pour autant modifiée.

---

1. Sur ce que sont des stances, voir p. 13.

Une élégie amoureuse

L'intérêt de la scène réside dans sa tonalité poétique. Le champ lexical de la souffrance l'apparente à une élégie[1]. L'Infante déplore son sort (V, 2, v. 1569-1573), évoque ses « grands déplaisirs » (V, 2, v. 1576), son « long tourment » (V, 2, v. 1579), sa « peine » (V, 2, v. 1594).

Les termes et les procédés relèvent du style raffiné de la galanterie du XVIIe siècle. L'amour est tour à tour une « douce puissance » (V, 2, v. 1567), un « fier tyran » (V, 2, v. 1568), devient des « feux » (V, 2, v. 1566). Les deux premières strophes personnifient la passion et le destin à qui l'Infante s'adresse comme s'il s'agissait d'interlocuteurs vivants (« T'écouterai-je », V, 2, v. 1565, 1567). Les antithèses sont fréquentes (V, 1 et 2, v. 1472-1573, 1580, 1585-1586, 1596).

ACTE V, SCÈNE 4

L'attente angoissée

RÉSUMÉ

Chimène livre ses inquiétudes à Elvire. Le duel judiciaire qui se prépare la tourmente, quelle qu'en soit l'issue. Ou don Sanche l'emporte et l'ordre du roi l'oblige à épouser un homme qu'elle n'aime pas ; ou Rodrigue triomphe, et ce même ordre la contraint à s'unir à un homme que, certes, elle aime, mais qui a tué son père.

---

1. Sur la définition de l'élégie, voir note 1, p. 22.

Une situation sans issue

La douleur de Chimène fait écho à celle de l'Infante dans la scène précédente. Les causes en sont toutefois différentes. Si l'Infante souffre de renoncer à Rodrigue, Chimène redoute un mariage forcé, qui la place devant un dilemme[1] tragique, vigoureusement résumé dans les vers suivants : « L'assassin de Rodrigue, ou celui de mon père !/De tous les deux côtés on me donne un mari/Encor tout teint du sang que j'ai le plus chéri ;/De tous les deux côtés mon âme se rebelle (V, 4, v. 1567-1560).

Idéal héroïque contre morale bourgeoise

La conversation entre les deux femmes opposent deux conceptions de l'existence. En digne représentante de l'aristocratie dont elle est issue, Chimène privilégie son « devoir » (V, 4, v. 1678) et son « honneur » (V, 4, v. 1684) au détriment de son bonheur personnel. L'héroïsme dicte sa conduite. En « gouvernante » qui n'appartient pas à la noblesse, Elvire réagit avec un bon sens terre à terre, étranger aux valeurs aristocratiques : « Quoi ! vous voulez encor refuser le bonheur/De pouvoir maintenant vous taire avec honneur ?/Que prétend ce devoir, et qu'est-ce qu'il espère ?/La mort de votre amant vous rendra-t-elle un père ? » (V, 4, v. 1687-1690).

---

1. *Dilemme* : choix entre deux solutions également mauvaises

Une heureuse méprise

RÉSUMÉ

Coup de théâtre : don Sanche apporte à Chimène son épée. Sans lui laisser le temps de s'expliquer, Chimène le maudit et crie son amour pour Rodrigue.

REPÈRES POUR LA LECTURE

Fausse surprise et vrai malentendu

La réapparition de don Sanche ressemble à un coup de théâtre, tant sa victoire sur Rodrigue paraît improbable. L'aurait-il donc par miracle emporté ? Une lecture attentive du texte révèle qu'il n'en est rien. Don Sanche, dit-il, est « obligé » (V, 5, v. 1705) de déposer son épée aux pieds de Chimène. En quoi le serait-il s'il était vainqueur ? Chimène l'interrompt en outre par trois fois (V, 5, v. 1706, 1713, 1720), l'empêchant ainsi de s'expliquer. Il s'agit en définitive moins d'un retournement spectaculaire de l'action que d'une erreur de Chimène, qui interprète le retour de don Sanche comme la preuve de la défaite de Rodrigue.

Un cri d'amour

Cette erreur modifie le comportement de Chimène. Croyant son père vengé par la mort de Rodrigue (V, 5, v. 1710), elle s'estime en droit de clamer son amour (V, 5, v. 1709, 1714, 1718). Spectateur et lecteur n'en sont pas étonnés. Ce n'est pas en effet la première fois que Chimène avoue qu'elle aime toujours Rodrigue : elle l'a dit à Rodrigue lui-même (acte V, scène 1), laissé entendre à sa « gouvernante » (V, 5, v. 1700). Mais c'est la première fois qu'elle l'avoue à quelqu'un qui n'est pas de ses intimes. Elle commence à assumer publiquement sa passion.

Le temps des explications

RÉSUMÉ

En présence du roi et de sa cour, Chimène justifie sa conduite. Tant que Rodrigue vivait, son devoir était de le poursuivre. Maintenant, pense-t-elle, qu'il n'est plus, elle peut sans honte le pleurer. Aussi, abandonnant ses biens à don Sanche, supplie-t-elle le roi de lui permettre de se retirer dans un couvent. Le roi lui révèle alors que, contrairement à ce qu'elle croit, Rodrigue n'est pas mort. Don Sanche, qui peut enfin parler, explique que Rodrigue l'a désarmé mais qu'il n'a pas voulu tuer le champion qui défendait la cause de Chimène. Il lui a seulement demandé d'aller remettre son épée. De là, le malentendu. Conformément à l'ordre édicté, le roi presse Chimène d'accepter Rodrigue pour époux.

REPÈRES POUR LA LECTURE

Une double justification

La première fonction de la scène est rétroactive. Don Sanche dissipe le malentendu de la scène précédente (V, 6, v. 1745-1760). « [...] bien que vaincu » (V, 6, v. 1759), il s'efface avec dignité devant son rival heureux (V, 6, v. 1761-1762). S'il n'a pas réussi à se faire aimer de Chimène, don Sanche montre qu'il était au moins digne d'elle.

La seconde fonction de cette scène est de préparer le dénouement. Chimène s'explique sur son revirement (V, 6, v. 1723-1724) face à don Sanche : « Enfin Rodrigue est mort, et sa mort m'a changée/D'implacable ennemie en amante affligée » (V, 6, v. 1729-1730). Elle reconnaît sa passion devant le roi et devant don Diègue (V, 6, v. 1741-1742). Elle ne peut plus désormais la nier comme elle avait tenté de le faire à la scène 5 de l'acte IV pour justifier son malaise.

Un dénouement ouvert

RÉSUMÉ

Rodrigue qui ne souhaite pas contraindre Chimène à l'épouser la prie de décider de sa vie et de son avenir. Celle-ci admet qu'elle ne peut le haïr malgré les terribles événements de ces dernières heures. Elle sollicite toutefois du roi un délai de convenance. Le roi y consent volontiers et ordonne à Rodrigue d'aller combattre les Maures chez eux. Chimène aura ainsi le temps de s'apaiser et Rodrigue de se couvrir de plus en plus de gloire.

REPÈRES POUR LA LECTURE

Un dénouement en apparence heureux

L'intervention de l'Infante en faveur de Rodrigue puis du roi (V, 7, v. 1815-1818), présage d'un futur mariage. Chimène accepte de se plier à l'ordre du roi : « Rodrigue a des vertus que je puis haïr/Et quand un roi commande, on lui doit obéir » (V, 7, v. 1803-1804).

Les quatre derniers vers de la pièce renforcent en outre la perspective d'un dénouement heureux. Après avoir été un fils et un sujet exemplaires, Rodrigue devient un « amant » comblé. Pour avoir risqué de tout perdre, il finit par tout préserver : sa gloire, sa fidélité au roi et son amour.

Un dénouement peut-être malheureux

À l'examen, cette fin heureuse apparaît moins certaine qu'il peut de prime abord sembler. Avec toute la déférence qu'elle doit à son souverain, Chimène formule en effet de lourdes objections à son mariage avec Rodrigue : « Si Rodrigue à l'État devient si nécessaire,/De ce qu'il fait pour vous dois-je être le salaire,/Et me livrer moi-même au reproche éternel/D'avoir trempé mes mains dans le sang paternel ? » (V, 7, v. 1809-1812).

Le roi maintiendra-t-il vraiment son ordre dans ces conditions ? Si Chimène peut encore aimer Rodrigue, peut-elle épouser sans difficulté celui qui reste le meurtrier de son père ? Ces questions restent sans réponse, et le dénouement demeure ainsi ouvert, laissant chacun libre de choisir l'interprétation qu'il préfère (→ PROBLÉMATIQUE 12, p. 104).

DEUXIÈME PARTIE

Problématiques essentielles

1 | *Le Cid* dans la carrière de Corneille

Le Cid est créé au début du mois de janvier 1637 sur la scène parisienne du théâtre du Marais. Né à Rouen le 6 juin 1606, Corneille est alors âgé de trente et un ans. Auteur de huit pièces, il est déjà un dramaturge expérimenté. Mais s'il n'en est pas à son coup d'essai, il n'a pas encore atteint la notoriété. *Le Cid* la lui procure. Il est son chef-d'œuvre, en même temps qu'il est la plus belle illustration d'un genre théâtral particulier : celui de la tragi-comédie.

CORNEILLE AVANT *LE CID*

Jusqu'en 1637, Corneille est surtout connu comme un auteur de comédies. Ses débuts remontent à la saison théâtrale 1629-1630, où il fait jouer sa première pièce, *Mélite*. Travaillant au rythme d'une pièce par an, il a successivement donné la *Veuve* (1631), *La Galerie du Palais* (1632), *La Suivante* (1633), *La Place royale* (1634) et *L'Illusion comique* (1635-1636).

Nouvelles pour l'époque, ses comédies sont des peintures de mœurs, mettant en scène les aventures sentimentales de jeunes gens suffisamment riches pour ne se préoccuper que de leur passion. Elles décrivent la découverte de l'amour, mais aussi les heurts avec les parents, plus sensibles aux considérations financières du mariage, et les obstacles nés de la présence de rivaux. Corneille relève le genre de la comédie alors moribond, devenant ainsi, dans l'histoire littéraire de tout le siècle, le prédécesseur de Molière.

LE TRIOMPHE DU *CID*

Le succès du *Cid* est immédiat et immense. La foule se presse si nombreuse au théâtre du Marais que, pour asseoir des spectateurs, on doit installer des chaises sur la scène ! Honneur exceptionnel, la pièce est représentée trois fois au Louvre devant le roi Louis XIII et sa cour, deux fois chez Richelieu, le principal ministre du royaume.

Avec ce succès sans précédent, vient la reconnaissance sociale et officielle. Le 27 janvier 1637, Louis XIII accorde des « lettres de noblesse » à Corneille qui, bien qu'il soit né bourgeois, font désormais de lui un anobli.

Les années qui suivent ne démentent pas ce triomphe. La pièce est sans cesse reprise avec la même fortune et sera progressivement traduite dans presque toutes les langues d'Europe, du vivant même de son auteur.

LE CHEF-D'ŒUVRE DE LA TRAGI-COMÉDIE

Ce triomphe du *Cid* s'explique aisément. La tragi-comédie est alors le genre en vogue. Caractérisée par une action complexe, volontiers spectaculaire, elle campe traditionnellement une histoire d'amour traversée par des obstacles qui disparaissent heureusement à la fin.

Le Cid répond à ces exigences. Péripéties et rebondissements s'accumulent : une « querelle », un duel, un récit de bataille, de nouveau un duel, un procès, des retrouvailles lui confèrent un rythme rapide. Les obstacles, trop souvent extérieurs qui séparaient les « amants » de la tragi-comédie (opposition d'un père, jalousie d'un rival), s'intériorisent en une crise morale. On n'avait pas encore montré de héros forcé de tuer le père de celle qu'il aime, ni d'héroïne obligée de réclamer la tête de l'homme qu'elle aime.

Émouvante histoire d'amour, *Le Cid* est également une pièce politique où les spectateurs de 1637 retrouvaient leurs préoccupations et inquiétudes. Dans une atmosphère de panache, de bravoure, d'émotions intenses, *Le Cid* s'imposait comme la meilleure réussite de la tragi-comédie.

2 | Les personnages

DON DIÈGUE

Vieux guerrier, don Diègue est un noble intransigeant et un père pathétique[1].

Un vieux guerrier

Don Diègue est un homme du passé. Souvent rappelé (I, 3, v. 156, 4, v. 237 ; II, 8, v. 697 ; III, 5, v. 1010...), son âge, soixante ans au moins, le range pour l'époque parmi les « vieillards ». Sa faiblesse physique contraste avec ses exploits antérieurs. Ancien chef des armées castillanes, il a jadis remporté victoire sur victoire (I, 4, v. 240 ; II, 8, v. 700-708). Le souvenir de sa bravoure lui vaut encore l'admiration du pays et l'estime de son souverain qui le choisit comme précepteur du prince.

Un noble intransigeant

Le « soufflet » qu'il reçoit constitue la tragédie de son existence. Les exigences de l'honneur sont en effet telles que le moindre affront peut en une seconde effacer la gloire acquise durant toute une vie. Don Diègue, qui pensait son prestige définitivement assuré, découvre avec stupeur que celui-ci est à la merci d'un rival jaloux. Pour comble de misère, la « vieillesse ennemie » (I, 4, v. 237), trahissant ses forces, l'empêche de se venger.

---

1. *Pathétique* : qui suscite une émotion douloureuse.

▌Un père pathétique

Aussi n'a-t-il pas d'autre solution que de faire assumer la vengeance par son fils. Tous les autres sentiments cèdent chez lui devant l'impératif absolu de laver l'affront : « Meurs, ou tue », dit-il à Rodrigue (I, 5, v. 275). Don Diègue n'est pas pour autant un père insensible : il craint pour la vie de Rodrigue dont, après le duel fatal, il redoute l'assassinat par l'un des amis du Comte (III, 5, v. 1019). Quand Chimène réclame le châtiment du coupable, il s'offre en victime expiatoire afin de préserver Rodrigue (II, 8, v. 724-732). Son amour paternel sait même à l'occasion se servir de la raison d'État. Non sans habileté, il envoie Rodrigue combattre les Maures dans l'espoir certes de sauver la Castille, mais aussi de forcer le monarque au pardon et « Chimène au silence » (III, 6, v. 1094).

LE COMTE DON GOMÈS

Prestigieux général en chef des armées de Castille, le comte don Gomès est un noble orgueilleux et un rebelle.

▌Un noble orgueilleux

Le Comte sort d'une famille aussi illustre que celle de don Diègue. Âgé d'environ quarante ans, il est plus jeune que don Diègue à qui il a succédé à la tête des armées (I, 3, v. 208-210). Quand débute la pièce, il s'est depuis longtemps couvert de gloire.

Son caractère le rend toutefois insupportable d'orgueil. Conscient – trop conscient – de sa valeur, le Comte estime avoir droit aux récompenses royales. Il ne les attend pas en sujet fidèle, il les exige. Le poste de précepteur du prince lui semble le paiement naturel de ses exploits. En fait, s'il sert don Fernand, c'est moins en officier respectueux de l'ordre monarchique que pour accroître sa propre réputation. Son comportement est politiquement inacceptable.

Un rebelle à son roi

Le Comte meurt après avoir deux fois désobéi. En contestant la nomination de don Diègue, il s'en prend ouvertement aux décisions du roi (II, 6, v. 561-569), dont il se juge l'égal en son for intérieur (I, 3, v. 157). En refusant ensuite l'arrangement à l'amiable que lui propose don Arias, il commet un acte caractérisé d'insoumission. Le Comte se croit trop indispensable au pays pour que le roi le punisse ; et lorsque don Arias le menace d'une sanction, il se croit assez fort pour déclencher une révolte armée (II, 1, v. 378). Avec lui disparaît le type même du noble ambitieux, toujours prêt à la sédition, tout autant utile que dangereux.

RODRIGUE

Âgé d'environ dix-huit ans, Rodrigue est un fils obéissant, un « amant[1] » exemplaire, un héros parfait et un sujet loyal.

Un fils obéissant

Rodrigue est conscient des devoirs que lui impose son appartenance à une grande famille aristocratique. À défaut du père physiquement trop faible, il sait que le fils doit venger l'honneur familial. À peine apprend-il l'affront que son indignation éclate et qu'il est prêt à se battre (I, 5, v. 261-267). La révélation du nom de l'« offenseur » – le père de Chimène ! – le foudroie. Un instant Rodrigue envisage de se suicider (I, 6, v. 321). Mais cette tentation n'est que passagère. Un noble oublieux de son honneur dégénère, et le devoir autant que l'amour le poussent à se battre (→ PROBLÉMATIQUE 5, p. 64). Le courage de Rodrigue revêt donc un double aspect : il

---

1. Dans la langue du XVIIᵉ siècle, un « amant » est celui qui aime et qui est aimé, sans idée obligée de possession physique ; celui qui aime sans être payé de retour est un « amoureux » : c'est le cas de don Sanche.

est physique, car il s'agit d'affronter un adversaire redoutable jusqu'alors invaincu ; il est aussi moral, car cet adversaire a Chimène pour fille. En digne héritier de don Diègue, Rodrigue se comporte avec panache et héroïsme : le duel signifie pour lui la certitude de ne jamais épouser Chimène.

▌ Un amant exemplaire

Après avoir rempli ses devoirs filiaux, Rodrigue s'affirme comme un « amant » exemplaire. En se refusant, malgré les conseils de don Diègue (III, 6, v. 1058), à oublier celle qu'il aime et à chercher une autre femme, Rodrigue témoigne de la profondeur de sa passion pour Chimène qui est à ses yeux unique et irremplaçable (III, 6, v. 1061-1065). Même s'il est convaincu que tout désormais les sépare, Rodrigue veut du moins montrer que s'il ne peut épouser Chimène, il demeure digne d'elle.

▌ Un héros parfait

Le combat contre les Maures révèle un autre aspect de Rodrigue. Jusqu'à cette bataille, celui-ci n'est qu'un jeune noble au courage prometteur. En tuant le Comte, son coup d'essai a été un coup de maître, mais le hasard ou la chance pouvait l'avoir servi. Son triomphe sur les Maures fait en revanche de lui un héros indiscutable. L'exploit s'est renouvelé, agrandi aux dimensions d'un combat historique. Le meurtrier du Comte devient le successeur du même Comte. Le surnom de « Cid » (en arabe : Seigneur) que les Maures lui ont donné et que le roi don Fernand l'autorise à porter comme un titre de gloire, témoigne du changement de statut de Rodrigue.

▌ Un sujet loyal à son roi

Bien qu'il succède au Comte, Rodrigue n'en est pas moins très différent de lui. Le Comte était prompt à se révolter. Rodrigue s'avère au contraire un sujet loyal, manifestant envers le roi une totale déférence. C'est sans murmure ni protestation que Rodrigue se soumet à l'ordre royal de porter la guerre en terre musulmane (V, 7, v. 1822-1830). Par son exemple, Rodrigue montre qu'il est possible de concilier les devoirs de l'honneur et la fidélité du sujet. Si don Diègue est un homme du passé, si le Comte incarne l'aristocratie guerrière turbulente et insoumise, Rodrigue représente une nouvelle génération de gentilshommes, ceux de l'avenir, sur lesquels le roi peut compter pour construire l'État (→ PROBLÉMATIQUE 7, p. 76).

CHIMÈNE

Âgée de seize à dix-huit ans, Chimène est une jeune fille passionnée, une amoureuse déchirée et héroïque.

▌Une jeune fille passionnée

Rien à l'origine (I, 1) ne la prédispose au drame. Elle aime, elle est aimée, et son père approuve sa passion. Si tragique soit-il, le duel fatal permet pourtant à Chimène de se révéler à elle-même. Sans celui-ci, son mariage avec Rodrigue n'aurait été qu'une belle mais ordinaire union, comme la cour du roi devait en voir souvent. L'assassinat de son père lui fait paradoxalement prendre conscience de la force de son amour. Loin de détester le meurtrier, elle continue de le chérir. Chimène est la femme d'un seul amour et d'un seul homme. Elle inaugure la galerie des grandes amoureuses du théâtre de Corneille qui n'existent que par et que pour leur passion.

▌Une amoureuse déchirée...

Son amour ne lui fait pas toutefois oublier ses obligations. « Amante », Chimène est aussi l'héritière d'une des grandes maisons de Castille, et comme Rodrigue, elle assume d'emblée les devoirs inhérents à sa haute naissance : tout affront doit être vengé ; la mort de son père, si elle restait impunie, entacherait le nom qu'elle porte. Chimène se trouve ainsi dans une situation tragique, puisque le sort l'oblige à requérir la peine capitale contre l'homme qu'elle aime le plus au monde. Aussi adopte-t-elle un comportement qui n'est contradictoire qu'en apparence : en privé, Chimène avoue redouter d'obtenir la mort de Rodrigue (III, 4 ; V, 4) ; en public, elle ne cesse de la réclamer (II, 8 ; IV, 5). Ce déchirement intime fonde son héroïsme (→ PROBLÉMATIQUE 6, p. 73-74). La fille ne peut en elle tuer l'« amante », ni l'« amante » tuer la fille.

▌ ... et héroïque

Sa volonté de demeurer fidèle à son devoir est d'autant plus héroïque qu'elle provient d'un effort permanent, comme le montre la nouvelle de la fausse mort de Rodrigue qui la jette dans une « pâmoison » proche de l'évanouissement (IV, 5). Malgré cet aveu public, incontrôlé, mais *implicite*, d'amour, Chimène se ressaisit pour de nouveau réclamer justice.

La victoire de Rodrigue puis l'intervention royale permettent à Chimène de sortir de cette impasse. Comprenant en effet que le roi ne peut se passer des services de Rodrigue après son éclatant triomphe sur l'ennemi, Chimène demande un « duel judiciaire » (→ PROBLÉMATIQUE 4, p. 59), promettant d'épouser celui qui tuerait Rodrigue. Mais le roi modifie autoritairement les conditions de ce duel, en ordonnant qu'elle devra épouser le vainqueur. C'est donner une chance évidente à Rodrigue. Le quiproquo final, qui la laisse (à tort) conclure à la victoire de don Sanche, contraint Chimène, sous l'excès de la douleur, à faire pour la première fois l'aveu *explicite* et public de sa passion. Chacun comprend dès lors l'effort qu'elle accomplissait sur elle-même en « poursuivant » Rodrigue. Cet effort la dégage de son devoir. Le couple séparé par la mort du Comte peut ainsi se réunir.

3 | Sources et originalité de Corneille

Corneille n'a inventé ni le personnage de Rodrigue ni celui de Chimène, qui ont réellement existé et furent réellement mariés. Quand Corneille décide de porter sur scène leurs tragiques amours, il dispose d'une source essentielle : celle du dramaturge espagnol Guillén de Castro.

LE CID DU THÉÂTRE ESPAGNOL

Guillén de Castro (1569-1631) fut le premier à adapter pour le théâtre la vie de Rodrigue et de Chimène dans l'une de ses pièces intitulée *Las Mocedades del Cid* (*Les Enfances du Cid*) et publiée en 1618. Selon la tradition dramatique espagnole, la pièce se divise en trois « journées ».

▌Première journée

I. Rodrigue est armé chevalier des mains de Fernand Ier, dans le palais royal de Burgos[1].

II. Désigné comme précepteur du prince, don Diègue est souffleté par le Comte devant le roi.

III. Rentré chez lui, don Diègue clame son désespoir et met à l'épreuve ses trois fils pour savoir lequel d'entre eux le vengera. Seul, Rodrigue réagit violemment. Don Diègue, qui

---

1. Dans sa pièce, Corneille a déplacé le lieu de l'action de Burgos à Séville, plus proche du lieu de débarquement des Maures, afin de diminuer le temps de déplacement de ses personnages et de se plier ainsi aux exigences de l'unité de temps (➡ PROBLÉMATIQUE 8, p. 84).

espérait cette réaction instinctive (preuve d'un vif sentiment de l'honneur), lui raconte alors l'affront dont il a été l'objet et lui confie le soin de le venger, car il est dans la plus totale ignorance de l'amour de Rodrigue pour Chimène.

IV. Dans un long monologue, Rodrigue laisse éclater sa souffrance.

V. Sous les yeux de l'Infante et de Chimène, à l'un des balcons du palais, Rodrigue tue le Comte.

▍ Deuxième journée

I. Chimène réclame justice au roi.

II. (Dans les appartements de Chimène) : Rodrigue vient offrir sa tête à Chimène.

III. (Un lieu désert près de Burgos) : don Diègue place son fils à la tête d'une troupe d'amis pour combattre les Maures qui viennent d'envahir la Vieille-Castille.

IV. (Dans le château aux environs de Burgos) : l'Infante encourage tendrement Rodrigue.

V. (Dans les montagnes, au nord de Burgos) : un berger peureux décrit la bataille et la victoire de Rodrigue.

VI. (Au palais du roi à Burgos) : Rodrigue fait au roi le récit du combat. En grand deuil, Chimène demande de nouveau justice. Le roi bannit Rodrigue.

▍ Troisième journée

Cette journée se déroule un an après le début de l'action.

I. (Au palais du roi à Burgos) : l'Infante avoue au ministre don Arias qu'elle aime Rodrigue, mais qu'elle est décidée à refouler sa passion, car elle connaît les sentiments de Rodrigue et de Chimène l'un pour l'autre. Le roi rappelle Rodrigue qui était en pèlerinage en Galice[1]. Une troisième fois, Chimène

---

1. *Galice* : région de l'Espagne formant l'angle nord-ouest de la péninsule ibérique et dont l'une des principales villes est aujourd'hui Saint-Jacques-de-Compostelle.

demande justice. Don Arias, qui a prévenu le roi de l'amour secret de Chimène, prépare une ruse et fait dire à Chimène que Rodrigue vient de trouver la mort dans une embuscade. Chimène s'évanouit puis, détrompée, réclame la mort de Rodrigue et promet d'épouser quiconque le tuera.

II. (Dans la forêt de Galice) : Rodrigue prie, secourt un lépreux avec qui il partage son repas. Durant la nuit, il voit en songe le lépreux lui prédire de nombreux succès.

III. (À Burgos, dans le palais du roi) : pour régler un différend frontalier qui oppose les royaumes de Castille et d'Aragon, on décide d'un combat singulier entre deux champions. Mais aucun Castillan n'ose affronter le redoutable Aragonais don Martin Gonzalez. Rodrigue revient à temps pour relever le défi.

IV. (Dans l'appartement de Chimène) : Chimène se désespère de devoir peut-être épouser don Martin Gonzalez.

V. (Au palais du roi) : on informe le roi et Chimène de la mort de Rodrigue ; Chimène déclare aussitôt souhaiter se retirer dans un couvent. Un peu plus tard Rodrigue paraît en vainqueur. Lui-même était à l'origine de ce subterfuge destiné à percer les véritables sentiments de Chimène à son égard. Le roi la presse dès lors d'épouser Rodrigue. Le mariage est célébré le soir même, trois ans après le début de l'action, c'est-à-dire après la mort du Comte.

L'ORIGINALITÉ DE CORNEILLE

Que Corneille se soit inspiré, et parfois de fort près, du texte de Guillén de Castro relève de l'évidence. Mais Corneille ne s'est pas contenté en la circonstance d'une simple imitation. En se livrant à un travail de simplification, de condensation, d'intériorisation de l'action, et d'invention, il a fait une œuvre originale.

Un travail de simplification

Ce qui frappe, quand on compare les deux pièces, c'est le nombre important de péripéties que Corneille a supprimées. De son modèle espagnol, Corneille n'a en effet retenu ni l'adoubement[1] de Rodrigue, ni le départ, sous les yeux de l'Infante, de la petite troupe contre les Maures, ni l'épisode du berger peureux racontant la bataille, ni l'exil de Rodrigue, pas plus que son pèlerinage en Galice et sa rencontre avec le lépreux ; le différend de la Castille avec l'Aragon et le sombre personnage de don Martin Gonzalez disparaissent également.

Un travail de condensation

Ces suppressions ont permis à Corneille de condenser l'action et de la concentrer sur l'essentiel : le drame personnel de Rodrigue et de Chimène. Longtemps tenu secret dans la pièce espagnole, l'amour des deux jeunes gens est d'emblée connu de tous, puisque dès la première scène du premier acte le Comte autorise sa fille à épouser Rodrigue. Du même coup, le duel qui oppose Rodrigue et le Comte devient fatal aux deux « amants », et fait renaître l'espoir dans le cœur de l'Infante, dont on sait également depuis le premier acte qu'elle aime depuis toujours Rodrigue. Si imprévu soit-il, le combat contre les Maures cesse d'être, comme dans *Las Mocedades del Cid*, un à-côté spectaculaire. La victoire de Rodrigue modifie en effet sa situation ; il n'est plus un meurtrier, mais un héros, dont le roi a désormais un besoin absolu. Aussi Chimène se voit-elle contrainte de réclamer un duel judiciaire (➔ PROBLÉMATIQUE 4, p. 59).

Corneille a en outre resserré l'action : tous les événements exercent, directement ou non, une influence sur l'attitude de Rodrigue et de Chimène. Là où Guillén de Castro racontait

---

1. *Adoubement* : cérémonie durant laquelle un roi donnait à un jeune noble la qualité de chevalier.

trois ans de la vie du Cid, Corneille en relate une journée, même si, comme on le verra dans l'étude de la dramaturgie, l'« unité de temps » en souffre quelque peu.

▌Un travail d'intériorisation

Dans *Le Cid*, tout se passe dans le cœur et dans l'âme des jeunes gens. Corneille a bien vu que l'intérêt profond de l'histoire résidait dans le combat psychologique et moral que les personnages doivent d'abord livrer contre eux-mêmes. Il a donc donné à quelques scènes plus d'importance qu'elles n'en avaient chez Guillén de Castro – telles les deux rencontres, lourdes d'émotion, de Chimène et de Rodrigue (III, 4 ; V, 1). Dans la pièce espagnole, Chimène court le risque d'épouser l'Aragonais don Martin Gonzalez qui est totalement étranger au drame, alors que don Sanche aime Chimène. En condensant son intrigue, Corneille a ainsi été amené à analyser les sentiments de tous ses personnages avec beaucoup plus de rigueur.

▌Un travail d'invention

Enfin Corneille a ajouté des éléments qui ne figuraient pas expressément dans le texte de Guillén de Castro.

S'il a supprimé des personnages, Corneille en a en effet imaginé un autre (don Sanche) ou développé considérablement ce qui n'était que des silhouettes fugitives chez son modèle. Ainsi, bien qu'il n'apparaisse que dans trois scènes, le Comte acquiert une réelle densité.

Des péripéties nouvelles surgissent : ce sont celles qui ont trait à la lutte douloureuse de l'Infante contre sa passion ; le retour de don Sanche déposant deux épées aux pieds de Chimène ; l'intervention du roi qui modifie les conditions de l'enjeu du duel judiciaire.

4 | L'honneur ou la mort

Le Cid ne met en scène que de très hauts personnages. Tout se passe entre les deux grandes familles que sont celles de don Diègue et de don Gomès. Leur appartenance à la vieille noblesse du royaume engendre des comportements et un système de valeurs particuliers qui sont à l'origine même du drame.

Il s'agit de la primauté de la race sur l'individu et, consécutivement, de la prépondérance de l'honneur sur toute autre considération, comme le montre l'usage fréquent du duel. Traditionnelles et inhérentes à la mentalité nobiliaire, ces valeurs et coutumes imprègnent de cruauté les relations humaines.

LA PRIMAUTÉ DE LA RACE SUR L'INDIVIDU

Au regard de la morale aristocratique, telle que l'incarnent dans toute sa rigueur don Diègue et le Comte, l'individu n'existe pas pour lui-même, mais pour et par la famille dont il est issu.

Les liens du passé

Seul importe le lignage, c'est-à-dire la longue suite des ancêtres. Quand le Comte accepte Rodrigue pour gendre, il se décide moins en fonction des qualités personnelles de Rodrigue que du prestige de la famille à laquelle le jeune homme appartient. Ses yeux laissent pressentir « l'éclatante vertu » de ses « braves aïeux » (I, 1, v. 28), dit le Comte, qui précise : « Je me promets du fils ce que j'ai vu du père »

(I, 1, v. 37). Rodrigue n'est pas dépeint pour lui-même mais par rapport à ses ascendants, à don Diègue. Sa vie consiste à renouveler aujourd'hui et demain ce que les siens ont accompli dans le passé.

De même, après avoir reçu le « soufflet » du Comte, don Diègue ne dit pas : c'est le premier affront que je subis, mais il s'exclame : c'est le premier dont ma *race* a vu « rougir son front » (I, 3, v. 228). L'offensé songe d'instinct à son clan, tout comme il considère son fils non pas comme une personne autonome et indépendante, mais comme un second lui-même : « Je reconnais *mon sang* » (I, 5, v. 264), « *ma jeunesse* revit » (I, 5, v. 265), s'écrie don Diègue devant l'impatience et la fougue de Rodrigue à le venger. C'est encore comme « héritier d'une illustre famille » (IV, 3, v. 1209) que le roi accueille le vainqueur des Maures.

▌ Un riche champ lexical

Le noble est toujours prisonnier de sa généalogie. Le vocabulaire traduit et reflète cette primauté du clan dans la mentalité nobiliaire. Le mot « race » (I, 3, v. 228 ; III, 6, v. 1030) ou son équivalent, celui de « maison » (I, 1, v. 31) (famille noble), reviennent à plusieurs reprises ; quant au mot « sang », d'un usage encore plus fréquent[1], il souligne l'appartenance biologique à une race qui se perpétue à travers les générations. Don Diègue reconnaît son « sang » au « noble courroux » de son fils (I, 5, v. 264) ; Rodrigue affirme fièrement qu'il est du « sang » de son père (II, 2, v. 402) ; Chimène parle du « sang » du Comte qui crie « vengeance » (III, 3, v. 832) ; et l'Infante évoque les « intérêts du sang » (IV, 2, v. 1200). À l'origine est donc la « race ». Or une naissance illustre ne confère que des devoirs et ne dispense en aucun cas d'obéir à la loi.

---

1. Voir notamment les vers 26, 264, 402, 676, 832, 1200.

LA PRÉPONDÉRANCE DE L'HONNEUR

Plus une famille est ancienne, plus ses ancêtres furent prestigieux et plus ses membres vivants ont l'ardente obligation de maintenir et, si possible, d'en accroître la gloire en montrant un courage permanent.

L'exigence de gloire

De même que l'individu se fond dans le groupe dont il est issu, de même la gloire qu'il acquiert ira en grossir la renommée. À l'inverse, la moindre lâcheté éclabousse évidemment son auteur, mais aussi la « maison » dont il est l'héritier car elle constitue la preuve que la race n'a pas su conserver à travers le temps le même haut niveau de réputation. C'est alors la rupture d'une continuité, la honte, la « dégénérescence » au sens strict du mot, c'est-à-dire la perte des qualités de la race. Le désespoir de don Diègue de ne pouvoir se venger lui-même est d'autant plus pathétique qu'il porte littéralement sur ses épaules le poids de sa race qu'il croit à jamais déshonorée.

Dépositaire et responsable du renom de son lignage, le noble possède un patrimoine moral à défendre. Personnel, le déshonneur est en conséquence toujours collectif et rétroactif. Mais s'il rejaillit sur les ascendants, il n'épargne pas davantage les descendants. Rodrigue et Chimène ont le devoir de venger leurs pères respectifs. Dans chacun de ses actes, le noble s'engage et engage le passé et l'avenir. On comprend dans ces conditions que l'honneur prime toute autre considération, que la mort soit de maigre importance au regard du renom de la race. L'honneur se confond avec le désir de conserver à ses yeux sa propre estime, de provoquer l'admiration d'autrui, de refuser toute vilenie, tout acte contraire à l'honneur.

▌Le courage permanent

La bravoure militaire est l'illustration ordinaire de la gloire. Les hommes présents dans *Le Cid* sont ou furent sans aucune exception de valeureux guerriers : don Diègue l'a été ; le Comte le fut ; Rodrigue l'est ; et don Sanche manifeste son courage en osant affronter le vainqueur des Maures. L'image fréquente du « bras[1] » qui porte l'épée et assène les coups symbolise par excellence cet univers de la force physique. Chacun souhaite égaler ou surpasser les exploits de ses aïeux. Aussi l'accusation de lâcheté est-elle la pire des insultes. « Rodrigue, as-tu du cœur ? » (c'est-à-dire du courage) demande don Diègue à son fils (I, 5, v. 261). Poser la question, c'est déjà en douter. Don Diègue la pose pour tester son fils. La réponse immédiate et indignée de Rodrigue, prêt à faire payer de tels propos à « tout autre que [s]on père » (I, 5, v. 261), le comble de joie. « As-tu peur de mourir ? » (II, 2, v. 440), lance à son tour Rodrigue au Comte. Le soupçon est aussi infamant pour le père de Chimène que l'est pour Rodrigue la question de savoir s'il a du « cœur ». Insulté, le Comte ne peut qu'accepter le duel que lui propose Rodrigue. Toute atteinte à l'intégrité physique ou morale d'un noble est un insupportable affront qu'il faut effacer. Entre la défense de son honneur et la mort, le noble ne peut hésiter.

LES DUELS

Se battre en duel est le seul moyen pour un homme de venger son honneur. *Le Cid* en évoque trois sortes.

▌La défense de son honneur

À aucun moment don Diègue n'imagine de porter devant le roi son différend avec le Comte ; parmi toutes les hypothèses

---

1. Voir notamment les vers 241, 242.

qu'il envisage dans les stances (I, 6), Rodrigue ne conçoit pas celle de recourir à don Fernand. Comme l'affront est personnel, la vengeance doit être personnelle. S'adresser, comme on le ferait de nos jours, à la justice, et porter l'affaire devant le tribunal équivaudrait à remettre à un tiers, étranger au débat, le soin de se défendre et de défendre la réputation de la race. Ce serait une indignité, reconnaître son incapacité, par lâcheté physique ou morale, à veiller sur sa gloire. Sur ce point, les réactions nobiliaires s'apparentaient à la vendetta, à la pratique de la vengeance privée jusqu'à ce que mort s'ensuive. Quelle qu'en soit l'issue, le duel lavait en effet l'affront. Ou l'on mourait et l'on avait montré qu'on ne voulait pas survivre au déshonneur ; ou l'on triomphait et avec la mort de l'« offenseur » disparaissait l'affront. Pour une femme, le cas était différent. La mentalité du XVIIe siècle n'eût pas admis que Chimène se battît en duel ; le poids très lourd d'une épée à cette époque-là et l'énergie physique qu'exigeait tout combat n'auraient d'ailleurs pas rendu l'hypothèse vraisemblable. Une femme se devait alors de prendre un champion, un défenseur de sa cause.

▌ Trois sortes de duels

Le premier duel – qui oppose le Comte et Rodrigue – était un duel « à la haie », parce qu'il se déroulait dans un endroit discret, derrière une « haie », sans contrôle ni cérémonial. De fait, Rodrigue et le Comte se battent sans la présence d'aucun ami, d'aucun « second » à leurs côtés pour vérifier la régularité du combat.

Le second duel, dit « à tous venants », est simplement évoqué par Chimène, car le roi l'interdit aussitôt : il aurait consisté à faire combattre Rodrigue contre d'innombrables et successifs champions de Chimène jusqu'à ce que l'un d'eux l'eût emporté (IV, 5, v. 1401-1405). Sans l'interdiction du roi, Rodrigue qui n'aurait pu se dérober sous peine de passer pour un lâche, aurait couru les plus grands risques.

Le troisième duel – le duel judiciaire entre Rodrigue et don Sanche – correspondait à une « vieille coutume » (IV, 5, v. 1406) qui avait été pratiquée en France jusqu'au milieu du XVIe siècle. Dieu était censé donner la victoire à celui qui se battait pour son bon droit (voir pour plus de détails p. 28).

UN MONDE DE CRUAUTÉ

Bien que *Le Cid* soit une émouvante histoire d'amour, la pièce est empreinte d'une cruauté absolue. Le faible y est méprisé et l'affectivité y est étouffée.

Le mépris du faible

Dans la mesure en effet où l'honneur implique l'exploit guerrier, seul compte l'individu qui sait se battre. Celui qui ne le peut plus parce qu'il est trop vieux ou qui ne le peut pas encore parce qu'il est trop jeune n'est digne d'aucun intérêt. Ni la déférence ni la cordialité ne caractérisent les relations de don Diègue et du Comte. Envers don Diègue, son aîné de vingt ans environ, le Comte n'éprouve que du mépris : il le qualifie de « vieux courtisan » (I, 3, v. 219), d'« impudent » (d'effronté) et de « téméraire vieillard » (I, 3, v. 226). Son refus de le tuer est une insulte supplémentaire : en le tuant, le Comte permettrait à don Diègue de sauver son honneur. Marque suprême de mépris : il ne ramasse même pas l'épée du vieil homme. Le Comte ne peut pas mieux montrer dans quelle piètre estime il tient don Diègue.

Au dédain de la vieillesse correspond symétriquement une condescendance injurieuse à l'égard de la jeunesse. Un instant saisi de pitié, le Comte hésite à se mesurer avec Rodrigue :

> Dispense ma valeur d'un combat inégal ;
> Trop peu d'honneur pour moi suivrait cette victoire

(II, 2, v. 432, 433)

L'affectivité étouffée

La cruauté dans laquelle baigne *Le Cid* ne provient pas toutefois de la seule attitude du Comte. La primauté de l'honneur aboutit à la subordination ou à la disparition, au moins passagère, de toute affectivité, de toute sentimentalité. « Meurs, ou tue » (I, 5, v. 275), commande don Diègue à son fils. Déjà cruelle en soi, la formule l'est encore plus dans le contexte où don Diègue la prononce : non seulement le Comte est le père de Chimène, mais c'est un « homme à redouter » (I, 5, v. 276), un « brave soldat », un « grand capitaine » (I, 5, v. 281), et Rodrigue ne s'est encore jamais battu en duel. L'ordre du père au fils résonne comme une possible condamnation à mort, prononcée sans hésitation.

Dans cet univers brutal, l'amour se trouve enfin ravalé au rang d'un « plaisir » indigne, d'une valeur secondaire, toujours synonyme de faiblesse : (II, 2, v. 423-425).

Ces paroles du Comte à Rodrigue font écho à celles de don Diègue à son fils : « Mais d'un cœur magnanime éloigne ces *faiblesses* » (III, 6, v. 1057).

Quoiqu'ils soient rivaux puis ennemis, les deux pères communient dans le même idéal viril et misogyne. Rodrigue lui-même ne regrettera pas d'avoir tué le Comte ; il avouera à Chimène : « Je le ferais encor, si j'avais à le faire » (III, 4, v. 878).

La société où évoluent les personnages repose en définitive sur la cruauté sereine de la loi du plus fort. Il n'est dès lors pas étonnant qu'à l'exception de l'Infante et de Chimène, les femmes soient si peu présentes dans *Le Cid*. Qui est la reine ? Qui est la mère de Chimène ? de Rodrigue ? Où sont-elles ? Les femmes n'ont que faire dans un univers exclusivement fondé sur des valeurs guerrières. Le monde du *Cid* est tout de violence et de dureté.

5 | La passion amoureuse

L'amour constitue l'un des thèmes essentiels du *Cid*. Il l'est d'abord sur le simple plan de l'intrigue : l'Infante aime Rodrigue qui aime Chimène et qui est aimé d'elle. Cet enchaînement fait déjà de la passion l'un des principaux ressorts de la pièce. L'amour est ensuite, et surtout, un thème important sur le plan beaucoup plus profond de l'évolution des personnages. De rudes, voire d'insurmontables obstacles contrarient en effet la passion que chacun d'eux éprouve : son rang de princesse interdit à l'Infante d'épouser un homme qui n'est pas roi, et le meurtre du Comte par Rodrigue dresse Chimène contre son « amant » assassin.

Sensuel, puissant, l'amour ne se dissocie en réalité ni de l'estime ni de l'honneur, et il se fonde sur la liberté. C'est même parce qu'il est une force irrésistible et sensuelle qu'il implique l'estime et la liberté.

UNE FORCE SENSUELLE ET IRRÉSISTIBLE

Les « amants » du *Cid* ont un peu moins de vingt ans : quoi de plus naturel que la passion les brûle ? Toutefois il n'apparaît pas toujours à une première lecture de la pièce que cette passion soit sensuelle. Les bienséances, alors en vigueur au théâtre, proscrivaient en effet toute allusion trop directe au corps, à la sensualité ou à la sexualité.

Mais, dès lors que l'on tient compte des contraintes des bienséances et qu'on redonne au langage sa puissance originelle, l'amour apparaît bien dans *Le Cid* comme un élan de l'être, que rien ne peut briser.

▌ Un élan de l'être...

Pour Rodrigue, l'Infante a un véritable coup de foudre : son cœur « est embrasé » (I, 2, v. 120), s'accélère, « se trouble » de simplement prononcer le « nom de son vainqueur » (I, 2, v. 84). L'image empruntée au vocabulaire du feu et l'émotion de la princesse indiquent assez la séduction physique qu'exerce Rodrigue sur elle. L'Infante parle d'ailleurs elle-même de la « surprise » de ses « sens » (I, 2, v. 98), de ses « désirs » (V, 2, v. 1574), le pluriel atténuant ce que le mot « désir », s'il était employé au singulier, aurait de trop évocateur. Rodrigue, de son côté, n'aspire qu'à la possession physique de Chimène dont, croit-il, le devoir familial de vengeance l'éloigne à jamais : « Tous mes plaisirs sont morts » (I, 6, v. 313), constate-t-il douloureusement après avoir appris l'identité de l'« offenseur » de son père ; et, devant don Diègue, il se désespère de ne plus pouvoir « posséder Chimène » (III, 6, v. 1069). Celle-ci ressent pour Rodrigue une attirance qui n'est pas moins vive. Elle s'emporte contre l'« honneur impitoyable à [s]es plus chers désirs » (II, 3, v. 459) ; pour se donner le courage nécessaire à « poursuivre » Rodrigue devant la justice, elle refuse que son « cœur » soit « honteusement surpris par d'autres charmes » (III, 3, v. 833) – formule élégante et discrète pour dire que l'attrait qu'elle éprouve pour Rodrigue ne saurait lui faire oublier son devoir. Si retenu soit-il dans son expression, l'amour que vivent les jeunes personnes du *Cid* est sensuel, comme il est normal que le soient toute passion et des passions juvéniles.

Aussi n'est-il pas étonnant qu'il soit une force qui domine l'être. Malgré son héroïsme, malgré sa volonté de ne pas céder, par devoir, à la passion qui la brûle, l'Infante court de défaite en défaite, entend peu « [...] la raison,/Quand le cœur est atteint d'un si charmant poison » (II, 5, v. 523, 524) : sa « flamme » (II, 5, v. 514) se nourrit du moindre espoir que lui offrent les péripéties de l'action, renaît dès l'annonce du duel entre Rodrigue et le Comte (II, 5, v. 515-517), la jette dans un rêve insensé après la victoire de Rodrigue sur les Maures (V, 3, v. 1632-1636). Sa lutte, souligne la puissance du sentiment amoureux. L'Infante a la beauté tragique des cœurs qui ne veulent pas mourir.

▌ ... que rien ne peut briser

Le malheur qui dresse Chimène et Rodrigue l'un contre l'autre, s'il les sépare, ne tue pourtant pas l'amour qu'ils se vouent. Convaincu de ne jamais pouvoir épouser Chimène, Rodrigue ne songe, certes, qu'à mourir de la main même de son « amante » (III, 4, v. 869-870), sur un champ de bataille ou de l'épée de don Sanche (V, 1, v. 1480) : « Le trépas que je cherche est ma plus douce peine » (III, 6, v. 1070), dit-il à son père. Mais, pas un instant, il n'envisage d'oublier Chimène et, plus tard, de se marier avec une autre femme. Comme Rodrigue est l'homme d'un seul amour, Chimène est la femme d'une passion unique : « C'est peu de dire aimer, Elvire, je l'adore » (III, 3, v. 810), avoue-t-elle en privé à sa gouvernante, juste après, pourtant, que Rodrigue a tué le Comte. Sa « pâmoison » (son malaise) à l'annonce de la fausse mort de Rodrigue est une preuve de son amour d'autant plus éclatante qu'elle est spontanée, qu'elle échappe à tout contrôle de la raison ou de la volonté (IV, 5). « [...] je ne te hais point » (III, 4, v. 963), dit-elle encore à Rodrigue dans une litote[1] admirable d'émotion, de pudeur et de réserve ; et les deux « amants », en dépit du drame, communient dans le regret d'un bonheur frappé par le sort :

> Ô miracle d'amour ! [...]
> Rodrigue, qui l'eût cru ?
> 　　　　　　Chimène, qui l'eût dit ?
> Que notre heur[2] fût si proche, et sitôt se perdît ?

> (III, 4, v. 985-988)

---

1. *Litote* : figure de style consistant à employer une expression atténuée pour laisser entendre plus qu'on ne dit. Ici « je ne te hais point » signifie : je t'aime.
2. *Heur* : bonheur.

Ils triomphent tous deux du plus grand des obstacles, le meurtre du Comte par Rodrigue, et ce succès montre assez la force de l'élan qui les porte l'un vers l'autre.

AMOUR, ESTIME ET HONNEUR

Cet amour impérieux et sensuel n'est pourtant pas source d'aveuglement et de déraison. S'il est désir de l'autre, il est également estime de l'autre et conforme à l'honneur.

▍ Un amour fondé sur l'estime

Le monologue de Rodrigue (I, 6), dit scène des « stances[1] », juste après que celui-ci vient d'apprendre qu'il doit se battre contre le père de Chimène, est à cet égard révélateur. « [...] imprévue aussi bien que mortelle » (I, 6, v. 292), cette nouvelle l'immobilise et semble le plonger dans l'incertitude. Il ne s'agit en fait que d'une apparence. À aucun moment Rodrigue n'hésite. Dès la première strophe se trouve souligné le caractère inéluctable de la vengeance (« Misérable vengeur d'une juste querelle », I, 6, v. 293). Un instant envisagée, la fuite dans la mort par le suicide (I, 6, v. 329-330) est vite rejetée parce qu'elle s'avère trop contraire à la « gloire » (I, 6, v. 331-334).

S'il ne se vengeait pas, Rodrigue perdrait la considération de son père, toute dignité à ses propres yeux et il s'attirerait même le mépris de Chimène.

▍ Un amour conforme à l'honneur

L'amour *autant que* l'honneur commandent de punir l'« offenseur ». S'il se dérobait à son devoir, Rodrigue en effet dégénérerait et deviendrait aussitôt indigne de Chimène. C'est ce qu'il lui expliquera lors de leur première rencontre : « [...] un homme sans

---

1. Sur la définition et la fonction des stances, voir p. 13 et 106.

honneur ne te mériterait pas » (III, 4, v. 888) ; et Rodrigue ajoute :
« Qui m'aima généreux me haïrait infâme » (III, 4, v. 890).

Rodrigue combat donc le Comte autant par honneur que par amour pour Chimène. S'il ne l'avait pas fait, il aurait non seulement perdu toute estime à ses propres yeux, mais toute l'estime de Chimène. Il se serait déshonoré, et son amour serait devenu déshonorant pour Chimène. Comment celle-ci pourrait-elle non seulement continuer d'aimer un lâche, mais encore comment aurait-elle pu l'aimer ? C'est pourquoi Rodrigue soutient : « Je le ferai encor, si j'avais à le faire » (III, 4, v. 878). Ces propos ne sont ni cruels ni barbares, mais traduisent la simple et dure réalité où se trouve Rodrigue. Il n'y a pas dans *Le Cid* de contradiction entre l'amour et l'honneur.

Chimène le comprend d'ailleurs fort bien. À peine a-t-elle appris la querelle qui a éclaté entre son père et don Diègue qu'elle tremble pour Rodrigue et pour elle-même (II, 3, v. 490-492). Elle ne le blâme pas d'avoir opté pour la vengeance (III, 4, v. 911).

Le drame, par la compréhension mutuelle dont font preuve les deux « amants », loin de les éloigner, les rend paradoxalement dignes l'un de l'autre. Il les lie beaucoup plus profondément que ne les unissait l'accord de leurs familles respectives. L'estime qu'ils se vouent éclate dans le parallélisme de leur conduite (III, 4, v. 931-932).

Tous deux découvrent dans l'épreuve leur mutuelle grandeur d'âme.

AMOUR ET LIBERTÉ

Fondé sur le désir et l'estime de l'autre, l'amour est enfin une quête de la liberté et une conquête de l'autonomie vis-à-vis du clan et de la morale aristocratique.

Une quête de la liberté

Entre les pères et leurs enfants s'instaure un véritable conflit de générations dont le sentiment amoureux est à la fois le moteur et le grand bénéficiaire.

Pour don Diègue, Chimène n'existe pas en effet comme Chimène, c'est-à-dire comme une jeune fille précise, unique et ne ressemblant à aucune autre : elle est la fille du Comte, destinée, si elle épouse Rodrigue, à lui donner des enfants. Les femmes ne sont à ses yeux que des génitrices, de futures mères et, comme telles, elles sont interchangeables : « Nous n'avons qu'un honneur, il est tant de maîtresses ! » (III, 6, v. 1058), s'exclame-t-il. Aussi est-ce en toute cruelle bonne foi que don Diègue, après la mort du Comte, pousse Rodrigue à oublier Chimène et à aimer tôt ou tard une autre femme (III, 6, v. 1057-1060). Sa misogynie ne s'explique pas seulement par sa rudesse guerrière : elle provient, pour l'essentiel, de l'incapacité profonde de don Diègue à concevoir la nature même du sentiment amoureux : le choix libre d'un être irremplaçable. Incapable d'une telle compréhension et d'une telle sensibilité, il méconnaît le drame intérieur de Rodrigue.

À la suggestion de son père de se tourner vers une autre femme, Rodrigue répond par une véhémente protestation (III, 6, v. 1063-1067).

Contrairement à don Diègue, Rodrigue érige l'amour en une valeur aussi essentielle que l'honneur. Ce faisant, il accède à une liberté intérieure toute personnelle.

La conquête de l'autonomie

En aimant Chimène, Rodrigue manifeste en effet son autonomie vis-à-vis du clan auquel il appartient. Nul ne lui a ordonné d'aimer Chimène ; c'est librement, de tout son être propre et en vertu d'une sensibilité qui est la sienne exclusivement, qu'il l'a choisie. En refusant d'oublier Chimène, Rodrigue cesse de se comporter en membre de son clan.

L'honneur, qui est la loi de sa race, lui imposait de tuer le Comte, non de continuer à aimer Chimène. En l'aimant toujours, il agit de son propre gré, il pose un acte qui lui est personnel. C'est en ce sens que l'amour permet à Rodrigue d'accéder à la liberté. Ses retrouvailles avec son père, après la mort du Comte, constituent d'ailleurs une sorte d'adieu (III, 6, v. 1051-1052).

Vivant sur des valeurs désormais opposées, le père et le fils ne sont plus capables de se comprendre. Par l'amour, Rodrigue s'émancipe.

Il en va de même de Chimène sur qui pèsent les mêmes contraintes. L'obligation où elle se trouve de venger son père mort devrait, si elle réagissait uniquement en fille du clan auquel elle appartient, lui faire oublier Rodrigue. En « adorant » l'assassin de son père, elle s'érige en personne autonome. Chimène ne se définit pas exclusivement par rapport à sa naissance : si elle est la fille du Comte, elle est aussi Chimène, une personne douée d'une liberté de décision.

Si la passion fait accéder chacun des deux « amants » à l'existence personnelle, l'amour leur permet également de bâtir leur liberté l'un par l'autre. Contrairement en effet à don Diègue qui ne voit en Chimène que la fille du Comte, c'est dans et par le regard de Rodrigue que Chimène est une jeune fille unique, irremplaçable ; de même, c'est dans et par les yeux de Chimène que Rodrigue devient un homme unique. L'amour, chez Corneille, engendre toujours un échange mutuel de liberté.

6 | L'héroïsme

Avec *Le Cid* apparaissent pour la première fois chez Corneille les notions de héros et d'héroïsme qui demeureront par la suite au centre de sa réflexion. Ces notions sont donc capitales tant pour la compréhension du *Cid* lui-même que du théâtre tout entier de Corneille. En quoi Rodrigue et Chimène sont-ils des héros ? En quoi et pourquoi leur comportement est-il héroïque ? La réponse à ces questions passe d'abord par une définition, même sommaire, de l'héroïsme cornélien.

QU'EST-CE QUE L'HÉROÏSME CORNÉLIEN ?

Corneille donne au mot « héros » un sens particulier qui diffère de celui qu'il revêt ordinairement. Pour accéder au statut de « héros », le personnage doit en effet posséder des qualités spécifiques. Mais si elles sont indispensables, ces qualités restent insuffisantes. Un certain dépassement de soi doit les compléter et couronner.

Un sens particulier

Les mots de « héros » et d'« héroïsme » possèdent des sens si divers qu'il importe d'emblée de les préciser. Dans un premier sens, on entend traditionnellement par « héros » le personnage principal d'un livre (ou d'un film). Dans un second sens, on qualifie de « héros » toute personne qui a une conduite moralement ou physiquement courageuse, pendant une guerre par exemple.

Chez Corneille, le personnage héroïque ne s'identifie pas obligatoirement avec la figure centrale de ses pièces : ainsi, dans *Cinna* (1642), le véritable héros est l'empereur Auguste, non le personnage de Cinna qui donne pourtant son nom à la tragédie. Le statut de personnage éponyme[1] ne suffit pas chez Corneille à élever au rang de héros ; ce n'est pas parce que son surnom de « Cid » sert de titre à la pièce que Rodrigue est un héros. L'héroïsme cornélien ne se réduit pas davantage à la bravoure militaire qui, si elle est nécessaire (du moins en ce qui concerne les hommes), n'en est jamais la condition suffisante. Brave, don Diègue le fut, et le Comte l'est resté jusqu'à sa mort. Aucun des deux n'est cependant un héros au sens cornélien du terme.

Des qualités indispensables mais insuffisantes

L'héroïsme cornélien suppose d'abord un certain nombre de prédispositions. N'est pas héros qui veut : seuls les nobles peuvent aspirer à le devenir. La condition, entre toutes indispensables, est en effet d'être « généreux » au sens premier du mot, dérivé du latin. « Généreux » provient du latin *genus* qui signifie la « race » ; et celui qui est « généreux » est le descendant d'une famille noble. L'héroïsme cornélien est avant tout le privilège de l'aristocratie. Par suite la « générosité » désigne l'aptitude à agir d'un noble pour défendre son sang, son rang, son honneur. À ce titre, Chimène et Rodrigue sont tous deux des « généreux ».

La seconde condition découle de la première : il faut posséder de la « vertu », au sens très particulier où, là encore, Corneille utilise ce terme. Provenant du mot latin *vir* (c'est-à-dire l'homme, le mâle), la « vertu » désigne l'énergie physique puis morale dont un noble est capable. Corneille et, avec lui, tout

---

1. On appelle personnage éponyme le personnage qui donne son nom à une œuvre.

le XVIIᵉ siècle pensaient qu'une haute naissance prédisposait naturellement au courage. La « vertu » qualifie ainsi d'abord le courage physique. Lorsque Rodrigue, s'adressant au Comte, s'indigne que ce dernier ait osé déshonorer un homme aussi exceptionnel que don Diègue, il lui dit :

> Sais-tu que ce vieillard fut la même vertu[1],
> La vaillance et l'honneur de son temps ? le sais-tu ?

(II, 2, v. 399-400).

Rodrigue entend par « vertu » le courage physique dont son père a jadis fait preuve sur les champs de bataille. Le mot désigne ensuite un ensemble de qualités morales dont peuvent témoigner aussi bien les hommes que les femmes : il s'agit alors de l'énergie que met un individu pour remplir ce qu'il croit être son devoir.

▌Le dépassement de soi

Ces deux critères de « générosité » et de « vertu », s'ils sont nécessaires, sont toutefois loin d'être suffisants. Dans le théâtre de Corneille, tous les nobles ne deviennent pas des héros (dans *Polyeucte*, Félix qui est, politiquement, un grand personnage, s'avérera un lâche de la pire espèce). Il y faut une volonté forte tendue vers un objectif qui apparaîtra à la fin de l'action comme un objectif louable.

L'héroïsme cornélien est une aventure physique, morale et spirituelle qui vise à atteindre la plénitude de soi, c'est-à-dire à dépasser toutes les contradictions qui peuvent exister pour réaliser la synthèse de tous les aspects de sa personnalité. Aussi cet héroïsme est-il un cheminement douloureux qui n'exclut ni la souffrance ni les déchirements. Il est l'illustration, portée à son plus haut point, de ce qu'un homme (ou une femme) peut faire, dans un contexte historique donné.

---

1. « La même vertu », c'est-à-dire la « vertu même ».

L'HÉROÏSME DE RODRIGUE

Le primat de l'honneur soumet Rodrigue à des obligations contradictoires. Son « moi » (sa personnalité) s'en trouve déchiré. L'héroïsme dont il va faire preuve consiste à reconstruire son unité intérieure, à transformer son « moi » déchiré en un « moi » harmonieux. Sa démarche en devient finalement novatrice et salvatrice.

Un « moi » à l'origine déchiré

La personnalité de Rodrigue se compose de trois éléments : il est fils (de don Diègue), il est « amant » (de Chimène) et il est sujet (du roi Fernand). Chacun de ces éléments se trouve dans son principe en contradiction avec les deux autres. Comme fils, Rodrigue doit laver l'affront infligé à son père et cet accomplissement de la vengeance l'éloigne logiquement de la possession de Chimène.

La morale aristocratique que sa naissance le contraint de respecter anéantit tous les espoirs de l'« amant ». La réciproque n'est pas moins vraie. Sa situation d'« amant » va à l'encontre de sa position de fils, puisque l'homme qu'il lui faut combattre est le père de la jeune fille qu'il aime. En tant que sujet, Rodrigue doit obéir au roi et, le cas échéant, mourir pour lui (IV, 3, v. 1233-1234). Obéir à don Fernand qui réprouve la pratique des duels, c'est ne pas défier le Comte et ne pas assumer son devoir filial ; repousser les Maures, c'est risquer la mort et donc perdre Chimène. Rodrigue vit en permanence écartelé entre des impératifs contradictoires. Sa sensibilité, son être tout entier (son « moi ») devraient en demeurer à jamais déchirés et mutilés. Or il n'en est rien.

La reconstruction de l'unité intérieure

À la fin de la pièce, Rodrigue triomphe et retrouve son unité profonde d'homme. Il aura réussi tout à la fois à être fils,

« amant » et sujet, à concilier ce qui était en apparence incon-
ciliable. Là réside l'héroïsme de Rodrigue, dans la construction
de son harmonie vitale. Rodrigue y parvient par une démarche
chronologique, novatrice, salvatrice et synthétique.

Sa démarche est chronologique parce que Rodrigue remplit
successivement tous ses devoirs : d'abord envers son père,
puis envers Chimène, enfin envers son roi. Son héroïsme est
sacrificiel. Rodrigue prend en effet le risque de sacrifier son
mariage à l'honneur de sa famille ; par amour il souhaite en
outre sacrifier sa vie, en offrant sa tête à Chimène et en
envisageant de se laisser tuer par don Sanche ; pour sauver
la Castille, il prend enfin le risque de sacrifier sa vie et son
amour. Le héros cornélien ne recule ni devant ses obligations
ni devant sa propre immolation.

▌ Une démarche novatrice et salvatrice

Par là-même le comportement de Rodrigue est novateur. En
plaçant sur le même plan d'égalité et d'importance l'honneur
et l'amour, Rodrigue introduit dans la société aristocratique
traditionnelle (telle que l'incarnent don Diègue et le Comte) une
dimension nouvelle qui lui était jusque-là étrangère. Le conflit
de générations entre les pères et les enfants (→ PROBLÉMATIQUE
5, p. 65-66) bouleverse l'ancien code féodal qui accordait la
priorité absolue à l'honneur.

En manifestant un total respect envers le roi, Rodrigue
rompt par ailleurs avec la jalousie et les dangereuses velléités
d'indépendance vis-à-vis du roi que manifestaient les grands
du royaume et dont le Comte était le représentant le plus
farouche. S'il le remplace à la tête des armées de Castille,
Rodrigue ne sera jamais un second don Gomès. Pour Rodrigue en effet, un général doit obéissance à son souverain (IV,
3, v. 1233-1236). Le temps des nobles toujours prompts à
la révolte est passé. Sacrificiel, l'héroïsme de Rodrigue est
donc novateur.

Il est encore salvateur. Rodrigue se dévoue pour la collectivité nationale qu'il sauve par sa victoire sur les Maures d'une domination ennemie. Chez Corneille, l'idée de héros implique toujours des exploits qui aboutissent à la libération d'un groupe soumis à une menace de servitude.

Grâce à sa victoire sur l'ennemi et à la clémence royale (→ PROBLÉMATIQUE 7, p. 78), Rodrigue synthétise enfin ses aspirations et les contraintes initialement contradictoires qui pesaient sur lui. Pour avoir risqué de tout perdre, Rodrigue gagne sur tous les plans. Au terme de la pièce, son mariage avec Chimène redevient possible. Le fils n'a pas renié l'« amant » et l'« amant » n'a pas renié le sujet. Rodrigue atteint à la plénitude exemplaire de soi. L'homme qu'il est se trouve projeté à un sommet où se réunissent et s'équilibrent les exigences aristocratiques, amoureuses et monarchiques.

L'HÉROÏSME DE CHIMÈNE

Parce qu'elle est femme, Chimène accède différemment à l'héroïsme. Ne pas venger la mort de son père équivaudrait pour elle à dégénérer, à renier sa race ; oublier sa passion pour Rodrigue serait à l'inverse nier sa nature, renoncer à ce qui fonde sa liberté (→ PROBLÉMATIQUE 5, p. 65). Le drame la place donc dans une contradiction absolue (III, 3, v. 811-814) dont elle sort par un constant effort sur soi qui lui vaut de s'affirmer dans l'admiration générale.

Un constant effort sur soi

Au début Chimène se débat entre ses devoirs de fille et d'« amante ».

Si elle « poursuit » Rodrigue en justice, ce n'est qu'au prix d'un douloureux effort sur elle-même (III, 3, v. 822-824). C'est pourquoi, malgré le drame, le couple demeure affectivement uni. À cause même de ce drame, les deux jeunes gens se découvrent égaux, s'accordant jusque dans ce qui les oppose.

Chimène ne peut avouer officiellement qu'elle continue d'aimer Rodrigue que sous la pression des événements, le plus tard possible, quand les autres (c'est-à-dire la société) la délieront de son devoir. C'est pourquoi il convient de suivre de très près la chronologie des événements de la fin de l'acte IV. L'héroïsme le plus haut dicte la décision de Chimène d'en appeler à un « duel à tous venants » (IV, 5, v. 1401-1404). C'est sacrifier sa passion à l'honneur de sa maison.

En ordonnant qu'elle épouse le vainqueur de ce duel, quel qu'il soit (ce peut donc être Rodrigue), don Fernand dénature l'offre généreuse de don Sanche qui s'offre aussitôt à combattre pour Chimène. L'ordre royal devient une atteinte à la liberté de la jeune fille. Chimène pouvait accepter d'épouser, par devoir, l'assassin de Rodrigue. Ce sacrifice de sa personne à une cause supérieure avait quelque chose de glorieux, d'héroïque. Se voir ravalée par don Fernand au niveau d'un simple enjeu est en revanche dégradant. C'est pourquoi Chimène supplie Rodrigue :

> Défends-toi maintenant pour m'ôter à don Sanche ;
> Combats pour m'affranchir d'une condition
> Qui me donne à l'objet de mon aversion.

(V, 1, v. 1550-1552).

L'affirmation finale de soi

Le quiproquo[1] de l'acte V, qui lui fait croire que don Sanche est le vainqueur du duel, contraint Chimène à faire publiquement éclater sa passion. Les autres comprennent dès lors quel effort elle faisait sur elle-même. Tous considèrent qu'avoir poussé aussi loin l'obéissance au devoir équivaut à avoir accompli son devoir (même si, dans les faits, Chimène

---

1. *Quiproquo* : méprise.

n'obtient pas la tête de Rodrigue). Don Diègue, l'Infante, le roi déclarent que, par cet effort sur soi, l'honneur de Chimène est sauf et que son amour est redevenu légitime aux yeux de la société.

L'héroïsme de Chimène réside donc dans la tension permanente qui l'habite, dans la coexistence intime du devoir et de la passion et dans sa volonté de faire malgré tout triompher son devoir. De même que l'irruption de l'histoire, par le biais de sa victoire sur les Maures, permettait à Rodrigue de sortir de l'impasse où il se trouvait, de même l'ordre du roi permet à Chimène de dépasser ses propres contradictions et d'en réaliser la synthèse. Certes l'ordre royal et le quiproquo final sont moins glorieux pour Chimène que ne l'est la victoire de Rodrigue sur les Maures. Mais, en tant que femme, Chimène ne peut conduire une armée. Il n'en demeure pas moins que, comme *Cinna* et *Polyeucte*, *Le Cid* voit la crise tragique se dénouer par la constitution d'un couple héroïque. Chimène n'est pas inférieure à Rodrigue : par des voies différentes, elle le rejoint dans le même univers de gloire, de liberté et d'héroïsme.

7 | La politique dans *Le Cid*

La politique occupe une place importante dans *Le Cid*. Les données initiales sont simples : la Castille y est une monarchie avec à sa tête un souverain, don Fernand, qui la gouverne. Mais l'instauration de cette monarchie est récente. Don Fernand en est en effet le « premier roi[1] ». Or s'il règne, son autorité reste mal acceptée. La mort du Comte lui offre l'occasion inespérée de s'imposer à tous et de soumettre chacun à des lois collectives identiques. En ce sens on peut parler d'une construction de l'État.

En outre, bien que l'action de la pièce se déroule au XIe siècle hors de France, les préoccupations qui s'y manifestent renvoient à celles de la France du XVIIe siècle.

LA CONSTRUCTION DE L'ÉTAT

Celle-ci passe par une quadruple évolution : par l'émergence d'une nouvelle morale politique, par l'apparition d'une justice d'État, par l'organisation d'une défense nationale et par l'affirmation de l'autorité royale.

Une nouvelle morale politique

Souvent, dans la pièce, l'autorité de don Fernand est malmenée. Par le Comte d'abord : en souffletant don Diègue,

---

1. Indication donnée par Corneille dans la liste des personnages et des fonctions qu'ils occupent. Toutefois Corneille ne précise pas depuis quand cette monarchie existe.

don Gomès humilie certes son rival, mais il offense aussi son monarque dans la mesure où il s'en prend à un homme qui a la confiance du roi puisqu'il vient d'être nommé « gouverneur » du prince (II, 6, v. 563-564). Le crime de lèse-majesté[1] du Comte est d'autant plus condamnable que sa prétention à devenir « gouverneur » du prince ne se justifie ni juridiquement ni politiquement. La menace d'une révolte armée, que brandit le Comte au cas où il serait sanctionné pour s'être battu en duel avec Rodrigue (→ PROBLÉMATIQUE 4, p. 57), fait planer sur la Castille l'ombre d'une crise de régime et le danger d'une guerre civile.

Le Comte n'est pas toutefois le seul à désobéir au roi. En effet, en dépit de sa déférence (I, 3, v. 163-164), don Diègue conteste les décisions royales dès qu'elles ne l'avantagent pas. Il proteste contre la décision de don Fernand de dispenser Rodrigue du duel judiciaire que réclame Chimène (IV, 5, v. 1415-1421). Enfin Rodrigue lui-même n'ignore pas qu'en tuant le Comte, il a commis un crime et qu'il est passible de la justice royale. Aussi fuit-il la cour où il « hasard[e] [s]a tête » (IV, 3, v. 1250).

Pourtant aucun de ces trois personnages ne désobéit au roi par goût de l'indiscipline, ou pour renverser don Fernand. Leur désobéissance s'explique par leur conception personnelle de l'honneur, qu'ils considèrent comme une affaire de famille. Ce qui se rapporte à la race ne concerne que les membres de cette race. Deux morales s'affrontent ainsi dans *Le Cid* : la première privilégie le clan au détriment de l'État ; la seconde veut soumettre le clan à l'État. La pièce marque le passage de l'une à l'autre.

Tout l'effort de don Fernand consiste à établir que l'honneur aristocratique n'est pas incompatible avec l'obéissance du

---

1. *Crime de lèse-majesté* : atteinte, physique ou morale, à la personne ou à l'autorité du roi.

sujet et que le roi a droit de regard sur la défense de la race. Contre le Comte qui affirme que l'on ne saurait le contraindre à vivre sans honneur (II, 1, v. 395-396), le roi soutient qu'à leur « obéir » on « ne peut perdre sa gloire » (II, 6, v. 602).

L'honneur cesse d'être une affaire de famille entre aristocrates pour relever de la compétence du roi. De la révolte du Comte à la soumission de Rodrigue, l'évolution est évidente. Rodrigue montre qu'un noble peut désormais concilier honneur et obéissance.

▎ L'apparition d'une justice d'État

Le Cid consacre également la naissance du droit. La notion de vengeance s'oppose à celle de droit ; elle relève d'une justice privée qui n'est pas une véritable justice. En effet, elle réunit dans une seule et même personne les fonctions de juge et de bourreau. Quand don Diègue somme son fils de le venger, il agit à la fois en victime qui évalue son préjudice (le déshonneur), en juge qui prononce une sentence (la mort) et en bourreau (il délègue son fils à l'exécution de la sentence). Cette confusion des rôles est contraire à la pratique normale du droit et de la justice. En demandant l'intervention de don Fernand, Chimène érige le roi en juge impartial, étranger au drame, qui s'efforce d'établir les responsabilités de chacun :

> Quand on rend la justice on met tout en balance :
> On a tué ton père, il était l'agresseur ;

> (IV, 5, v. 1386-1387)

La justice d'État l'emporte désormais sur la justice privée. *Le Cid* enregistre la fin de la loi de l'instinct à laquelle obéissait la société aristocratique traditionnelle (représentée par le Comte et don Diègue) pour la remplacer par la justice publique : « Au rang de ses sujets un roi doit la justice » (II, 8, v. 653). Un nouvel ordre judiciaire se met en place, dont le roi est désormais la clé de voûte. Le cycle de la vengeance privée, de la vendetta, s'achève.

L'organisation d'une défense nationale

Sans cesse attaqué par les Maures (II, 7, v. 613-616), le royaume de Castille lutte depuis sa création pour son indépendance. Cette défense a toutefois longtemps été le privilège de l'initiative privée, d'armées que les généraux levaient pour leur propre compte et commandaient à leur guise. La réaction de don Diègue à l'annonce de l'arrivée de l'ennemi est à cet égard révélatrice. Don Diègue ne se soucie pas d'en informer le roi, ni de se mettre à sa disposition. Il nomme de son propre chef Rodrigue général de la troupe d'« amis » spontanément venus lui offrir leurs services (III, 6, v. 1085-1086). La bataille se livre sans l'ordre du roi.

Tout change à la fin du *Cid* ; c'est maintenant le roi qui donne ses ordres à Rodrigue :

> Va jusqu'en leur pays leur reporter la guerre,
> Commander *mon* armée et ravager leur terre
>
> (V, 7, v. 1825-1826).

À la troupe d'« amis » se substitue une armée régulière ; Rodrigue détient désormais son autorité d'un ordre exprès du roi. La Castille qui ne possédait jusque-là que des combattants se dote d'une institution militaire officielle. Sous la direction du roi s'ouvre un nouveau chapitre de son histoire.

L'affirmation de l'autorité royale

Cette triple évolution morale, judiciaire et militaire s'accompagne enfin d'une mutation idéologique. Pour bien la mesurer, il suffit de comparer ces propos du Comte :

> Pour grands que soient les rois, ils sont ce que nous sommes :
> Ils peuvent se tromper comme les autres hommes ;
>
> (I, 3, v. 157-158)

à la véritable leçon de philosophie politique que don Fernand donne à don Sanche :

Un roi, dont la prudence a de meilleurs objets,
Est meilleur ménager du sang de ses sujets :
Je veille pour les miens, mes soucis les conservent,
Comme le chef a soin des membres qui le servent.
Ainsi votre raison n'est pas raison pour moi :
Vous parlez en soldat, je dois agir en roi ;

(II, 6, v. 595-600).

Le Comte se jugeait l'égal du roi. Don Fernand refuse de reconnaître cette égalité et justifie sa prééminence sur tous les grands du royaume. L'image du « chef » (II, 6, v. 598), c'est-à-dire de la tête, le souligne. Les sujets forment un immense corps (dont ils sont les « membres », II, 6, v. 598) à qui la tête (le roi) confère impulsion et vie. Le souverain s'affirme également comme le protecteur plein de sagesse du pays ; seul l'intérêt de l'État l'anime et commande ses décisions. Une définition nouvelle du chef d'État s'élabore. Ce fut celle du roi sous l'Ancien Régime[1] français. Il n'est pas enfin indifférent que le dernier mot de la pièce soit le mot « roi » : « Laisse faire le temps, ta vaillance et ton roi » (V, 7, v. 1840).

Don Fernand a pris l'initiative et la conserve. Le drame qui a opposé les deux plus grandes familles du royaume et qui risquait d'être lourd de menaces pour la paix civile, tourne à son avantage. Le Cid s'achève dans une atmosphère monarchique, où tout désormais procède d'un roi à l'autorité incontestée.

La politique dans Le Cid et la situation de la France en 1637

Bien que Le Cid soit une histoire espagnole datant du XIe siècle, il n'en répondait pas moins aux préoccupations de la France du XVIIe siècle. De constantes allusions à l'actualité de l'époque le traversent, qu'un spectateur averti pouvait aisément déceler.

---

[1]. Le terme d'« Ancien Régime » désigne la monarchie française depuis sa naissance sous les rois mérovingiens jusqu'à sa chute, à la Révolution de 1789.

Un même climat de guerre

Comme la Castille, la France était en guerre depuis 1635 contre l'Espagne et l'Empire austro-hongrois ; et comme la Castille, la France était menacée. À l'Est, les Autrichiens tenaient la ville de Dôle ; les Espagnols, qui régnaient aussi sur les Pays-Bas, avaient attaqué à la fois au Sud où ils avaient enlevé la ville de Saint-Jean-de-Luz, et au Nord où la frontière avait cédé. La ville de Corbie, qui garde le passage de la Somme, était tombée le 15 août 1636, provoquant l'exode des populations. Les ponts de l'Oise avaient été coupés ; et on craignait que l'ennemi ne marchât sur Paris. Une même peur plane sur les deux capitales. Quelques semaines plus tard, une contre-offensive française avait rétabli la situation. Corbie était reprise le 14 novembre 1636 et les Autrichiens étaient stoppés sur les rives de la Saône. Paris pouvait respirer, comme Séville après que Rodrigue eut repoussé l'attaque des Maures. Les spectateurs de 1637 retrouvaient ainsi dans *Le Cid* l'écho de leurs craintes et de leur soulagement.

La répression des duels

Les duels constituent un second réseau d'allusions à l'actualité, et, plus particulièrement, à la mentalité nobiliaire française. Ces « rencontres » qui voyaient des nobles s'affronter l'épée à la main étaient alors fréquentes. Dans les dix dernières années du règne d'Henri IV, entre 1600 et 1610, quatre mille gentilshommes environ avaient ainsi péri. Aussi, secondé par l'Église qui rappelait le cinquième commandement[1] : « Tu ne tueras point », le pouvoir tentait-il d'empêcher les duels par tous les moyens. En 1626 et en 1634, Richelieu avait promulgué deux édits (lois) les interdisant et qu'il faisait appliquer avec rigueur. La condamnation du Comte par don

---

1. Selon la Bible, Dieu donna à Moïse, son prophète, sur le mont Sinaï, la table des dix commandements (appelée pour cette raison le « décalogue ») ; le cinquième commandement interdit de tuer.

Fernand, le refus royal d'autoriser le duel initialement réclamé par Chimène rejoignaient les efforts de Richelieu. Comme celui-ci, don Fernand avance contre le duel les mêmes raisons morales et politiques :

> Cette vieille coutume en ces lieux établie,
> Sous couleur de punir un injuste attentat,
> Des meilleurs combattants affaiblit un État ;
> Souvent de cet abus le succès déplorable
> Opprime l'innocent et soutient le coupable.

(IV, 5, v. 1406-1410)

À travers *Le Cid*, Corneille soutenait la politique de Richelieu. Le personnage même de Rodrigue prenait enfin une signification particulière dans le contexte de 1637. De nombreuses grandes familles, victimes de la politique répressive que menait Richelieu pour les réduire à l'obéissance, pouvaient éprouver la tentation de se comporter comme le comte don Gomès. Une telle menace intérieure était aussi inacceptable en France, alors en guerre contre l'Espagne, qu'en Castille que les Maures attaquaient. L'héroïsme de Rodrigue incitait les nobles français à faire taire leurs querelles et à comprendre qu'ils ne perdaient pas leur honneur à obéir au roi, que la survie de l'État devait l'emporter sur toute autre considération. Histoire d'amour, *Le Cid* était aussi un appel à l'entente nationale.

8 | La dramaturgie

On appelle dramaturgie l'ensemble des procédés qu'utilise un auteur pour construire une pièce de théâtre. Au XVIIᵉ siècle, ces procédés étaient qualifiés de « règles » qui, pour l'essentiel, remontaient à la *Poétique* d'Aristote[1]. Comme leur nombre interdit de toutes les détailler, on se limitera à l'examen des plus importantes : celles qui concernent les unités de temps, de lieu et d'action. On pourra de la sorte, après les avoir étudiées, se demander si *Le Cid* est une pièce vraiment classique.

LA DOCTRINE DE L'IMITATION

Il convient de ne pas considérer ces règles comme l'expression d'une bizarrerie de l'époque. Elles découlaient logiquement de l'idée qu'on se faisait de la tragédie, alors conçue comme l'« imitation d'une action ». Autrement dit, la tragédie devait être vraisemblable et offrir au spectateur l'illusion qu'il n'assistait pas à la représentation d'une œuvre de fiction, mais au déroulement sur scène d'une action que l'autorité de la légende ou de l'histoire prétendait véridique. Les règles avaient donc pour but de faire naître un certain plaisir : celui de se croire le témoin privilégié d'une aventure authentique

---

1. Ce philosophe grec avait exposé dans sa *Poétique* les principales lois de la tragédie, telle qu'elle existait à son époque, au quatrième siècle avant notre ère. Comme le XVIIᵉ siècle tenait la tragédie grecque pour un modèle presque inégalable, les dramaturges français respectaient les règles édictées par Aristote.

et tragique. Si leur respect ne procura jamais du génie aux écrivains, les grands dramaturges, à l'exemple de Corneille, surent les utiliser (avec plus ou moins de liberté) pour donner plus de force et de pathétique à leurs œuvres.

LE TRAITEMENT DU TEMPS

▌ Pourquoi l'unité de temps ?

En conséquence de cette théorie de l'imitation, les dramaturges s'efforçaient de rapprocher les deux temps inhérents à toute représentation : la durée objective du spectacle (trois heures environ pour une tragédie) et la durée supposée de l'action. Idéalement, ces deux durées auraient dû coïncider. Mais comme c'était rarement réalisable, on avait fini par admettre que la longueur de l'action représentée ne devait pas excéder vingt-quatre heures. Au-delà, pensait-on, se produisait entre temps réel et temps fictif de la représentation un trop grand décalage, préjudiciable à la vraisemblance. L'unité de temps apparaissait comme nécessaire à la crédibilité de l'œuvre jouée et, donc, à l'intérêt qu'elle devait susciter.

▌ Le temps dans *Le Cid*

Force est de reconnaître que *Le Cid* ne respecte pas scrupuleusement l'unité de temps. L'action se déroule sur deux jours, puisque la première entrevue de Chimène et de Rodrigue a lieu au crépuscule (III, 4, v. 975) et qu'à l'acte IV, scène 3, Rodrigue relate son combat de toute une nuit contre les Maures.

Selon toute apparence, l'action (la querelle des pères et le meurtre du Comte) débute dans la matinée d'une journée A et le dénouement intervient le lendemain au mieux vers midi, plus probablement dans l'après-midi de la journée B. Même si l'on place très tôt dans la matinée de la journée A le « conseil » qui décide du choix du précepteur du prince (I, 1, v. 39), il est difficile d'admettre que la scène du soufflet, le duel de Rodrigue contre le Comte, le procès intenté par Chimène, le combat contre les Maures, le retour de Rodrigue dans la capitale et le duel judiciaire avec don Sanche puissent se produire en vingt-quatre heures. On ne peut le croire même avec la meilleure volonté du monde. L'action du *Cid* suppose au moins une bonne trentaine d'heures.

LE TRAITEMENT DU LIEU

▌ Pourquoi l'unité de lieu ?

L'unité de lieu procède également de la théorie de l'imitation et elle est une conséquence de l'unité de temps. La tragédie ne devait pas comporter de changements de lieu plus importants que les moyens de communication de l'époque ne permettaient d'en effectuer en un jour. En pratique, les déplacements devaient se limiter au cadre du palais (ou d'une ville) et de ses abords. Cette unité de lieu est en gros respectée dans *Le Cid* puisque tout s'y passe à Séville ; mais elle ne l'est guère dans le détail, puisqu'à l'intérieur de ce lieu général (Séville), il faut nécessairement imaginer plusieurs lieux particuliers.

▌ Les lieux dans *Le Cid*

Ces lieux particuliers sont au nombre de six (ou de sept ?). Ils se décomposent de la manière suivante :
– la maison de Chimène (I, 1 ; II, 1 ; III, 1-4 ; IV, 1, 2 ; V, 1, 4-7) ;
– l'appartement de l'Infante (I, 2 ; II, 3-5 ; V, 2-3) ;
– la place devant le palais où se produit la querelle de don Diègue et du Comte (I, 3) ;
– la maison de don Diègue (I, 4-6) ;
– la « salle du trône », dans le palais où se tient le roi (II, 6-8 ; IV, 3-5) ;

– une rue discrète où Rodrigue affronte le Comte en duel (II, 2) ;
– une autre rue (ou la même) où, après la mort du Comte, don Diègue cherche et retrouve son fils (III, 5-6).

En fait, *Le Cid* se plie en apparence à l'unité de lieu. Il en respecte la lettre mais non l'esprit qui voulait que le lieu où se déroule la tragédie fût une sorte de huis clos.

L'ACTION

▍ Qu'est-ce que l'unité d'action ?

L'unité d'action imposait que l'intérêt fût centré sur une seule intrigue. Ce qui ne signifie pas l'absence totale d'intrigue secondaire.

> Ce qu'il fallait, c'est que les divers fils que pouvait comporter une intrigue fussent tissés de telle sorte que tout acte ou parole de l'un des personnages réagît sur le destin de tous les autres, et que chaque détail se subordonnât à l'action principale[1].

▍ L'action dans *Le Cid*

Tel est le cas dans *Le Cid*, aussi riche en rebondissements soit-il : la passion de Chimène et de Rodrigue constitue l'intrigue principale ; l'amour de l'Infante pour Rodrigue et le combat contre les Maures en forment les intrigues secondaires. Entre l'intrigue principale et les intrigues secondaires se nouent toutefois d'étroits rapports. C'est en effet l'Infante qui, pour mieux vaincre son amour, a favorisé le rapprochement de Rodrigue et de Chimène (I, 2, v. 101-104). C'est elle encore qui s'efforce d'empêcher le duel prévisible entre Rodrigue et le Comte (II, 3, v. 493-498). C'est elle enfin qui engage Chimène à renoncer à sa vengeance (IV, 2, v. 1197-1204). Son désespoir s'approfondit par ailleurs à mesure que se manifestent

---

1. J. Truchet, *La Tragédie classique en France*, PUF, 1975, p. 32.

au grand jour le courage de Rodrigue et sa passion pour Chimène. Le rôle et l'évolution psychologique de l'Infante sont donc bien dépendants de l'intrigue principale.

Quant à l'arrivée des Maures, annoncée dès l'acte II (6, v. 607-609), elle permet à Rodrigue non seulement de s'affirmer comme un chef militaire, mais encore de s'élever du rang d'assassin (du Comte) à celui de héros national. Sa victoire a des conséquences directes sur son drame personnel. Le roi, qui ne peut désormais se passer de ses services, n'« écoute plus » Chimène « que pour la consoler » (IV, 3, v. 1256). L'intérêt de l'État oblige don Fernand à pardonner à Rodrigue et à faciliter son mariage avec Chimène.

LE CID EST-IL UNE TRAGÉDIE CLASSIQUE ?

La question de savoir si *Le Cid* est une tragédie classique appelle une réponse nuancée, tant la pièce occupe une place particulière dans l'histoire du théâtre. *Le Cid* est en effet une tragi-comédie beaucoup plus qu'une tragédie classique, mais c'est une tragi-comédie qui évolue vers le classicisme.

▌ *Le Cid* n'est pas une tragédie classique

Ce serait une erreur de conclure que *Le Cid*, sous prétexte qu'il appartient au siècle du classicisme, est automatiquement une tragédie classique. Est jugée classique toute pièce se pliant aux règles de la dramaturgie du même nom. Or leur examen a montré quelles libertés Corneille prenait à leur égard. *Le Cid* ne respecte pas scrupuleusement les unités de temps et de lieu ; et malgré les précautions dont Corneille s'est entouré, les bienséances (c'est-à-dire la manière de présenter les événements et les sentiments de telle façon que les spectateurs ne soient pas choqués) y souffrent quelque peu. Observées globalement, elles ne le sont pas toujours dans le détail. L'exemple le plus significatif est celui de l'épée (du « fer ») que Rodrigue reçoit des mains de don Diègue (I, 4, v. 257-260), qu'il conserve durant son monologue (I, 6, v. 318-320), avec laquelle il tue le Comte et qu'il présente, quelques heures après, à Chimène pour qu'elle le tue (III, 4). Comme Chimène défaille à la vue de cette épée « du sang de [s]on père encor toute trempée » (III, 4, v. 858), Rodrigue lui demande de la plonger dans son propre sang pour effacer la « teinture » de celui de son père (III, 4, v. 863-864) ! La scène est d'une cruauté évidente, d'un goût douteux, en contradiction formelle avec les bienséances. Au regard des exigences du classicisme et de ses principales règles, *Le Cid* ne peut donc être considéré comme une pièce vraiment classique.

▌Une tragi-comédie

Historiquement, *Le Cid* fut créé en 1637. Or, à cette date, les règles classiques ne régnaient pas encore sans partage sur le théâtre. Formulées dans la décennie 1620-1630, elles mirent longtemps à s'imposer aux dramaturges et elles ne triomphèrent vraiment qu'après 1640. On ne peut en conséquence juger *Le Cid* d'après des critères qui lui sont postérieurs.

Littérairement, la pièce relève d'un genre (d'une définition) qui a évolué avec le temps. À sa création, en 1637, Corneille la baptise « tragi-comédie » ; en 1648, il la qualifie de « tragédie ». La différence est beaucoup plus importante qu'un simple changement d'appellation. La « tragi-comédie » se caractérisait pour l'essentiel par une action riche en rebondissements, volontiers spectaculaire, où des personnages de haut rang voient leur amour (ou leur raison de vivre) mis en danger par des obstacles qui disparaissent heureusement au dénouement. *Le Cid* correspond exactement à cette définition. Très en vogue dans les années 1630 à 1640, la « tragi-comédie » décline après 1642 et ne connaît plus la même faveur auprès du public. Toujours soucieux de suivre les goûts des spectateurs, Corneille a donc rebaptisé en 1648 sa pièce « tragédie », ce qui, à cette date faisait plus sérieux. Il n'en reste pas moins que *Le Cid* fut primitivement une « tragi-comédie ». Or le genre de la tragi-comédie fut le plus rebelle aux règles dont il ne cessa de contester le bien-fondé.

Une évolution vers le classicisme

Par rapport aux nombreuses « tragi-comédies » qui furent représentées à l'époque, *Le Cid* marque toutefois une étape importante sur la voie qui conduit progressivement au respect des règles. Les autres tragi-comédies se déroulaient en effet sur plusieurs jours, voire sur plusieurs semaines, multipliaient les lieux, compliquaient à souhait l'action et se préoccupaient fort peu des bienséances. Il en résulte que l'on peut porter sur *Le Cid* deux jugements contradictoires : considérée comme une tragi-comédie (d'après les critères de 1637) la pièce, si elle n'est pas encore classique, se rapproche plus que d'autres de ce que sera le classicisme ; envisagée comme une tragédie (d'après l'appellation de 1648), elle demeure en deçà des normes idéales. *Le Cid*, appartient en réalité à la période pré-classique et, à cause de son vif succès, constitue le maillon le plus exemplaire de l'évolution qui débouchera sur le classicisme.

9 | Argumentation et éloquence judiciaire

L'éloquence désigne l'art de toucher et de persuader par le discours, par la parole. Avocat de formation, Corneille connaît les techniques et la puissance de l'éloquence judiciaire. Aussi insère-t-il dans *Le Cid* un véritable procès à la scène 8 de l'acte II : meurtrier du Comte, encourant pour ce crime la peine capitale, Rodrigue est l'accusé, Chimène est son accusatrice, don Diègue, son défenseur, et le roi son juge.

LE RÉQUISITOIRE DE CHIMÈNE

Pour convaincre le roi, Chimène s'efforce de l'émouvoir afin de mieux le gagner à sa cause, puis de le convaincre par des arguments plus rationnels.

Provoquer la compassion de l'auditoire

Chimène commence par évoquer le cadavre de son père. Ses yeux ont vu le sang du Comte

> Couler à gros bouillons de son généreux flanc ;
> Ce *sang* qui tant de fois garantit *vos* murailles,
> Ce *sang* qui tant de fois *vous* gagna des batailles,
> Ce *sang* qui tout sorti fume encor de courroux
> De se voir répandu pour d'autres que pour *vous*.

> (II, 8, v. 660-664).

L'anaphore[1] « ce sang » est d'une grande habileté. L'insistante

---

1. *Anaphore* : répétition d'un ou de plusieurs mots en tête de vers ou de plusieurs membres de phrase.

répétition de l'adjectif démonstratif « ce » tend en effet à recréer l'affreux spectacle, à en imposer la vision dans l'esprit du roi-juge (et du nôtre), comme si le cadavre gisait sur scène.

La triple mention du mot « sang » vise à susciter à la fois l'horreur du crime, la pitié pour la victime – et donc pour sa fille. Cet art de capter la bienveillance s'accompagne d'une gestuelle[1] expressive : sous la douleur de l'évocation, la voix de Chimène se brise, des larmes naissent, et l'actrice qui joue le rôle doit physiquement montrer sa souffrance.

Convaincre par la raison

L'argumentation vient ensuite au secours de l'émotion. Son raisonnement est d'ordre déductif. Elle rappelle que son père était un noble couvert de gloire (II, 8, v. 661-662), loyal envers son souverain (II, 8, v. 664). Sa mort doit donc être vengée (II, 8, v. 668-684) et Rodrigue doit donc être sévèrement châtié.

L'habileté de Chimène consiste en outre à montrer qu'il y va de l'intérêt de l'État de condamner Rodrigue. La répétition de « vous » et « vos » dans les vers 660 à 664, déjà cités, avait pour but de faire prendre conscience au roi-juge, si besoin en était, que la mort du Comte le concerne au même titre qu'elle, Chimène. Cette répétition vise à le placer d'emblée dans le camp de Chimène. L'argument est alors longuement développé (II, 8, v. 688-696).

Excuser ou absoudre Rodrigue encouragerait de futurs assassins à s'en prendre aux meilleurs serviteurs de l'État. Chimène achève son réquisitoire en insistant sur cette nécessité politique de la condamnation, comme si elle ne défendait que le royaume et la monarchie elle-même (II, 8, v. 693-696).

Comment le roi, chargé du sort de son pays, resterait-il insensible à cet ultime argument ?

---

1. La gestuelle désigne toutes les attitudes signifiantes du corps : non seulement les gestes, mais le regard, le ton de la voix, les mimiques, etc.

LA PLAIDOIRIE DE LA DÉFENSE

La structure de la tirade de don Diègue (II, 8, v. 697-732) ressemble à celle de Chimène. Il réfute les arguments de Chimène, puis recourt à des procédés plus affectifs.

Contestation et réfutation

Au portrait élogieux que Chimène dresse de son père, don Diègue oppose le sien, tout aussi élogieux. Comme le Comte, il est couvert de gloire (II, 8, v. 701-702) et d'une loyauté absolue (II, 8, v. 711-712). C'est pourquoi son honneur devait être vengé (II, 8, v. 718-719).

Don Diègue lave ensuite son fils de toute responsabilité. Rodrigue n'est pas moralement coupable, car il n'a été que le bras de la vengeance. Si don Diègue avait eu suffisamment de force physique pour se battre en duel, c'est lui qui aurait provoqué le Comte. Il endosse la responsabilité de l'assassinat (II, 8, v. 720-724). Avec une habileté égale à celle de Chimène, il retourne l'argument de la nécessité politique de condamner Rodrigue. L'intérêt de l'État exige de lui laisser la vie sauve, car la Castille peut avoir besoin de lui (II, 8, v. 728-729).

Susciter la pitié de l'auditoire

Comme Chimène débutait son réquisitoire par l'émouvante peinture de sa douleur, don Diègue achève sa plaidoirie par l'offre pathétique du vieillard se sacrifiant pour sauver son fils (II, 8, v. 732). Cette scène de procès orchestre en définitive les principaux procédés de l'éloquence : la tentative de se concilier la sympathie du juge, le combat d'idées, avec le renversement final de l'argumentation de l'adversaire. Le recours à la gestuelle et d'amples périodes oratoires (c'est-à-dire de longues phrases comportant des accumulations, dans les vers 693 à 696 et 701 à 710 par exemple) renforcent le sentiment que l'on assiste à un débat de prétoire.

10 | Langue, style et registres

Si le succès du *Cid* tient à son sujet, il s'explique aussi par la richesse de son écriture. La poésie s'y exprime sur divers registres[1] : héroïque, épique, lyrique et pathétique. Les sentences y sont nombreuses. La variété des procédés crée ainsi une écriture expressionniste.

LE REGISTRE HÉROÏQUE

La poésie héroïque éclate quand les personnages chantent leur gloire et évoquent leurs exploits avec de mâles accents.

> Grenade et l'Aragon tremblent quand ce fer brille ;
> Mon nom sert de rempart à toute la Castille

(I, 3, v. 197-198)

Le vocabulaire militaire prononcé par le Comte, l'opposition entre des pays apeurés et un individu vainqueur, tout l'arrière-plan géographique que dessinent les noms de ville et de province colorent ces vers d'une orgueilleuse et indomptable énergie[2]. De même Rodrigue se sent prêt, par amour pour Chimène, à défier l'Espagne entière :

> Paraissez, Navarrais, Mores et Castillans,
> Et tout ce que l'Espagne a nourri de vaillants ;
> Unissez-vous ensemble, et faites une armée,
> Pour combattre une main de la sorte animée :

---

1. Les registres sont la manifestation par le langage des grandes catégories d'émotion (telles que la joie, l'angoisse, l'admiration, la plainte) et de la sensibilité.
2. Un autre exemple de poésie héroïque apparaît dans l'évocation que don Diègue fait de sa gloire passée.

> Joignez tous vos efforts contre un espoir si doux ;
> Pour en venir à bout, c'est trop peu que de vous.

(V, 1, v. 1559-1564)

LE REGISTRE ÉPIQUE

La poésie épique apparaît essentiellement dans le récit du combat de Rodrigue contre les Maures (IV, 3). Est épique tout événement grandiose (généralement une bataille) par lequel un individu – le héros – modifie et façonne l'histoire d'une collectivité, d'une nation. Le combat que livre Rodrigue s'élargit aux dimensions d'un gigantesque affrontement :

> Et la terre, et le fleuve, et leur flotte, et le port,
> Sont des champs de carnage où triomphe la mort.

(IV, 3, v. 1299-1300)

Dans les vers :

> Ô combien d'actions, combien d'exploits célèbres
> Sont demeurés sans gloire au milieu des ténèbres,

(IV, 3, v. 1301-1302)

l'interjection « Ô », renforcée par l'anaphore « combien », entonne un chant solennel, que souligne encore la majesté rythmique des deux alexandrins, seulement coupés à l'hémistiche[1]. Le champ sémantique[2] magnifie la lutte : « actions » et « exploits » (IV, 3, v. 1301) sont des redondances qui agrandissent l'assaut donné contre une bande de pillards (IV, 3, v. 1289). De cette mêlée terrible, nocturne, anonyme, surgit enfin à l'aube le Héros victorieux : « Ils demandent le chef ; je me nomme, ils se rendent. » (IV, 3, v. 1326).

---

1. On appelle hémistiche la moitié d'un vers ; un alexandrin qui compte douze pieds comporte donc deux hémistiches de six pieds chacun.
2. On désigne par l'expression « champ sémantique » le choix des mots et de leur signification, qu'a effectué un auteur pour décrire une action.

LE REGISTRE LYRIQUE

Le lyrisme se manifeste par des images, par un rythme vif et par l'expression de sentiments personnels. Ce lyrisme est essentiellement dans *Le Cid* un lyrisme élégiaque, c'est-à-dire douloureux et plaintif. Le duo d'amour de Rodrigue et de Chimène en est le plus bel et le plus célèbre exemple. Accordés jusqu'aux tréfonds d'eux-mêmes par-delà ce qui les sépare, les deux amants regrettent leur bonheur perdu (III, 4). Comme dans un chant de tristesse, comme dans un *lamento* assourdi, les deux « amants » se donnent la réplique. Le parallélisme de leurs propos illustre leur intimité et leur compréhension :

> Rodrigue, qui l'eût cru ?
> > Chimène, qui l'eût dit ?
> Que notre heur (bonheur) fût si proche, et sitôt se perdît ?
> > (III, 4, v. 987-988)

La répétition des [i] module leur plainte. Les effets de rythme (3 + 3 + 3 + 3 puis 6 + 6) et le jeu des sonorités [û] expriment un chant où dominent tendresse, nostalgie et désespoir.

LE REGISTRE PATHÉTIQUE

Quand l'émotion des personnages devient trop grande, le lyrisme s'épanouit en stances et engendre le pathétique. Sur le plan de la forme, les stances sont des strophes pouvant comporter des vers de différentes longueurs, se terminant chacune par une pause fortement marquée et constituant un monologue. *Le Cid* comporte deux scènes de stances : l'une pour Rodrigue (I, 6), l'autre pour l'Infante (V, 2). Leur fonction est de faire partager au spectateur (ou au lecteur) la détresse du personnage qui se plaint. Rodrigue exprime ainsi son déchirement entre son amour pour Chimène et l'honneur qui l'oblige à venger son père. La dernière rime « peine »/

« Chimène » revient à la fin de chaque strophe comme une plainte lancinante. Il en va de même pour l'Infante qui chante douloureusement son amour sans espoir pour Rodrigue. Ses stances permettent au spectateur d'assister au combat ultime du devoir sur la passion (V, 2, v. 1595-1596).

LES SENTENCES

La « sentence » était un genre littéraire fort cultivé au XVIIe siècle et que Corneille appréciait beaucoup. On peut la définir comme un élément du dialogue qui exprime en une courte phrase une idée générale applicable en particulier à la situation de l'un des personnages. Équivalentes à des maximes, les sentences sont nombreuses dans *Le Cid*. Leur force est telle que plusieurs d'entre elles sont depuis devenues des proverbes. Ainsi ce vers de don Diègue : « Plus l'offenseur est cher, et plus grande est l'offense » (I, 5, v. 285), traduit à la fois une vérité générale et la situation où se trouve Rodrigue. De même cette réplique du Comte : « Qui ne craint point la mort ne craint point les menaces. » (II, 1, v. 393).
Ou ces vers fort célèbres de Rodrigue :

> Je suis jeune, il est vrai ; mais aux âmes bien nées
> La valeur n'attend point le nombre des années.

(II, 2, v. 405-406)

On pourrait ainsi multiplier les exemples, tant *Le Cid* en comporte, et de fort saisissants :

> À qui venge son père il n'est rien d'impossible.
> Ton bras est invaincu, mais non pas invincible.

(II, 2, v. 417-418)

Par ces sentences, Corneille atteint le sublime, un des idéaux du classicisme, que La Bruyère définissait ainsi :

> Le sublime ne peint que la vérité, mais en un sujet noble ; il la peint tout entière, dans sa cause et dans son effet ; il est l'expression ou l'image la plus digne de cette vérité. (*Caractères*, I, 55).

UNE ÉCRITURE EXPRESSIONNISTE

Le Cid se caractérise en définitive par une écriture expressionniste, c'est-à-dire une écriture qui ne néglige aucun des effets de style propres à frapper l'imagination et la sensibilité des spectateurs. Tantôt c'est la stichomythie[1] qui donne de la force aux formules antithétiques, comme dans la scène de défi entre Rodrigue et le Comte (II, 2, v. 439-440).

Tantôt, comme dans le récit du combat de Rodrigue contre les Maures, c'est un mélange de lumière et de ténèbres, de sang et de fureur, de bruits et de mouvements qui l'emporte[2]. Tantôt, enfin, ce sont des images osées, ou baroques[3], qui suggèrent la violence des sentiments et des passions, et qui sont proches de la démesure, voire du mauvais goût, comme l'affirmera plus tard Voltaire ; ainsi ces vers où Chimène évoque, devant le roi, son père mort :

> Son flanc était ouvert ; et pour mieux m'émouvoir,
> *Son sang sur la poussière écrivait mon devoir ;*
> Ou plutôt sa *valeur* en cet état réduite
> *Me parlait par sa plaie*, et hâtait ma poursuite ;
> Et pour se faire entendre au plus juste des rois,
> *Par cette triste bouche elle empruntait ma voix.*

> (II, 8, v. 675-680)

Ce « sang » qui écrit, la « plaie » qui parle peuvent en effet apparaître aujourd'hui comme des images insupportables ou ridicules. Mais ce serait oublier qu'en 1637 la tragi-comédie était d'abord un art fondé sur le pathétique, tout entier fait d'extrêmes et d'audace.

---

1. *Stichomythie* : figure de style consistant à faire dialoguer les personnages vers pour vers, ou comme ici, demi-vers pour demi-vers, ce qui donne à la scène une grande vivacité.
2. Voir, par exemple, les vers 1273 à 1300.
3. En littérature, le style baroque s'affirme sous les règnes d'Henri IV et de Louis XIII (de 1600 à 1640 environ) et se caractérise par une grande liberté d'expression.

11 | La « querelle » du *Cid*

Le Cid remporta dès sa création (début janvier 1637) un immense triomphe, le plus grand qu'ait jamais obtenu Corneille, l'un des plus grands qu'ait jamais connu un dramaturge au XVIIe siècle.

Mais si *Le Cid* fut un triomphe populaire, il ne satisfit ni les confrères de Corneille, ni les autorités littéraires de l'époque, ni tous ceux qui faisaient profession d'écrire. Ce sont les démêlés de Corneille avec ceux qu'on appelait alors les « doctes » (les « savants ») qui constituent la « querelle » du *Cid*. L'affaire prit des proportions considérables. C'est pourquoi il est nécessaire d'en rappeler les principaux épisodes, puis d'en dégager l'exacte signification.

LES ÉPISODES DE LA « QUERELLE »

La « querelle » éclate en mars 1637 pour, officiellement, se terminer en décembre de la même année.

Son origine est fort peu « littéraire ». Devant le succès de sa pièce, Corneille demanda une meilleure rétribution financière au directeur de la troupe qui jouait *Le Cid*. Ayant essuyé un refus, il décida de faire éditer son texte, qui parut en librairie le 23 mars 1637. Cette publication permettait à n'importe quelle autre troupe (parisienne ou provinciale) d'inscrire *Le Cid* à son répertoire et de la jouer. En le privant de l'exclusivité de sa pièce, Corneille portait en représailles un préjudice pécuniaire au théâtre du Marais qui avait créé *Le Cid*. À peu près dans le même temps, il écrivit un long poème, intitulé l'*Excuse à Ariste*, où il vantait son talent.

Pour rabaisser l'orgueil de Corneille, l'un de ses confrères, Mairet[1], rédige et publie vers la fin mars *L'Auteur du vrai Cid espagnol à son traducteur français*, dans lequel il accuse Corneille d'avoir plagié (imité) l'œuvre de Guillén de Castro[2]. Un autre dramaturge, Georges de Scudéry[3], vient aussitôt prêter main forte à Mairet et fait paraître le 1er avril ses *Observations sur le Cid* où il prétend démontrer

> Que le sujet n'en vaut rien du tout
> Qu'il choque les principales règles du poème dramatique
> Qu'il manque de jugement en sa conduite
> Que presque tout ce qu'il a de beautés sont dérobées
> Et qu'ainsi l'estime qu'on en fait est injuste.

Comme Corneille refuse d'engager une discussion avec ses détracteurs, Scudéry demande l'arbitrage de l'Académie française, créée trois ans plus tôt en 1634 par Richelieu. L'Académie française procède alors à un examen détaillé du *Cid* et publie le 20 décembre 1637 *Les Sentiments de l'Académie française touchant les Observations faites sur la tragi-comédie du Cid*. Elle y reconnaît l'originalité de Corneille et le lave de l'accusation de plagiat, lancée par Scudéry. Mais, avec ce dernier, elle soutient que Corneille n'a respecté ni l'unité de temps, ni celle de lieu, ni la vraisemblance, ni les bienséances. L'Académie française considère en définitive que Corneille doit autant son succès à son talent qu'au hasard. Le jugement était mitigé. Après quelques hésitations, Corneille décide de ne rien répondre. La « querelle » du *Cid* est close.

---

1. Jean Mairet (1604-1686) est notamment l'auteur d'une tragédie *Silvanire* (1631) qui définit dans sa préface les règles du théâtre classique français.
2. Sur l'œuvre de Guillén de Castro qui constitue la grande source du *Cid*, voir p. 49 à 51.
3. Georges de Scudéry (1601-1667) était le frère de la romancière Madeleine de Scudéry, qui fut le chef de file du courant précieux.

LA SIGNIFICATION DE LA « QUERELLE »

Au-delà de ses aspects anecdotiques, la « querelle » posait un véritable problème littéraire. L'essentiel du débat soulevait en effet deux questions majeures : jusqu'où un dramaturge peut-il respecter la vérité historique ? Jusqu'où doit-il se plier aux bienséances[1] ?

Vérité et vraisemblance

Ce qui scandalisa le plus les adversaires de Corneille fut le dénouement du *Cid*, c'est-à-dire le mariage de Chimène et de Rodrigue. Dans ses *Observations*, Georges de Scudéry traitait Chimène d'« impudique », de « prostituée », de « parricide » et de « monstre ».

Autrement dit, Scudéry reprochait à Corneille d'être resté fidèle à la vérité historique qui attestait le mariage de Rodrigue et de Chimène, au détriment de la vraisemblance qui voudrait que ce mariage n'ait pas lieu : comment admettre en effet sans réticence qu'une jeune fille épouse le meurtrier de son père fût-ce un an après le meurtre ? Il s'agissait de savoir si le théâtre devait se conformer au « vrai » tout court, mais parfois choquant, ou au « vraisemblable », à ce que le public était prêt à croire. Alors que les partisans du classicisme ne cesseront de proclamer (avec Racine par exemple) la supériorité du « vraisemblable » sur le « vrai », Corneille sera l'un des rares auteurs de son temps à adopter la position inverse. Au « vraisemblable », il préférera sinon toujours, du moins souvent, le « vrai ». C'est le cas dans *Le Cid* ; ce le sera encore dans *Horace*. Plus de dix ans après la création de sa pièce, il déclarera dans la préface de l'une des éditions de son œuvre

---

1. Les bienséances exigeaient que ni le langage, ni les événements, ni les personnages ne choquent la sensibilité du spectateur. Il est bien évident que la notion a évolué avec les siècles et que ce qui choquait alors ne choque plus forcément aujourd'hui.

(en 1648) que le mariage de Chimène et de Rodrigue fut effectivement « célébré par l'archevêque de Séville, en présence du roi et de toute sa cour » et qu'il ne peut rien changer à cette vérité. Cette position quasi constante de Corneille en faveur du vrai est l'une des formes de son originalité, l'un des traits qui le distinguent des autres dramaturges de son temps.

Littérature et morale ; la question des bienséances

Contester le dénouement revenait aussi à s'interroger sur la moralité du comportement de Chimène (qui a été la grande accusée de la « querelle » du *Cid*). Fallait-il avoir une conception restrictive des bienséances ? Ou pouvait-on au contraire en donner une interprétation assez large ? En condamnant Chimène, les adversaires de Corneille défendaient une conception stricte, moraliste, voire moralisante, des bienséances. Un dramaturge ne pouvait, selon eux, porter à la scène que des sujets exemplaires, où (comme l'on disait à l'époque) « les choses sont comme elles doivent être ». Le danger d'une telle position est évident : à ne vouloir traiter que de « bons » et « beaux » sujets, on court le risque d'un théâtre mièvre, conformiste et sans consistance : c'est tout le problème des rapports entre l'Art et la morale. Corneille, quant à lui, donne avec et dès *Le Cid* une interprétation plus large des bienséances. Celles-ci lui semblent respectées dès lors que Chimène lutte contre sa passion et cherche à venger son père. L'héroïsme cornélien, a-t-on vu (→ PROBLÉMATIQUE 6, p. 68) , est toujours novateur, anarchique, dans la mesure où il bouleverse les conventions morales, les normes établies, où il les fait évoluer.

Tout l'intérêt du *Cid* provient d'ailleurs de cette évolution des idées morales. On ne peut la supprimer ou l'atténuer sans affadir le texte. Corneille, là encore, témoignait de son originalité. La « querelle » du *Cid* reposait en définitive sur deux approches différentes de ce que devait être le théâtre.

12 | Réécritures et réinterprétations

Publié pour la première fois en 1637, *Le Cid* connut du vivant même de Corneille plusieurs rééditions, dont les plus importantes sont celles de 1648 et 1660. Corneille y modifie en effet son texte. Les remaniements apportés sont parfois si profonds que l'on peut légitimement parler de l'existence de deux *Cid* : celui de la version originale de 1637 et celui de 1660[1]. Cette réécriture de Corneille par Corneille a logiquement suscité de nouvelles interprétations de l'œuvre.

CORNEILLE RÉÉCRIT PAR CORNEILLE

Afin de mieux suivre l'évolution du texte, il convient de distinguer la révision de 1648 et celle de 1660.

Les modifications de 1648

Au-delà de corrections mineures (des changements de mot par un autre) on constate trois modifications essentielles.

D'abord, la tragi-comédie passant de mode, la pièce porte désormais l'appellation de « tragédie ».

Pour la rendre en conséquence plus conforme à la dignité du genre tragique, Corneille en remanie le premier acte. En 1637, celui-ci s'ouvrait sur un entretien entre le Comte et Elvire et se poursuivait par une conversation entre Chimène et Elvire. Le mariage de Chimène en était dans les deux cas le sujet. C'était trop s'appro-

---

1. L'ultime édition de 1682 ne renferme que des corrections de détails.

cher de l'univers de la comédie où ce genre de discussion était fréquent. En 1660, Corneille fond ces deux scènes en une seule.

Les stances de Rodrigue (I, 6) sont enfin en partie réécrites. En 1637, Rodrigue s'exclamait :

> Père, maîtresse, honneur, amour,
> Illustre tyrannie, adorable contrainte,
> Par qui de ma raison la lumière est éteinte,
> À mon aveuglement rendez un peu de jour […]
> Noble ennemi de mon plus grand bonheur
> Qui fait toute ma peine […]

(I, 6, v. 311-318)

À partir de 1648, ces vers deviennent :

> Tous mes plaisirs sont morts, ou ma gloire ternie.
> L'un me rend malheureux, l'autre indigne du jour […]
> Digne ennemi de mon plus grand bonheur,
> Fer qui causes ma peine […]

Le désespoir et le dilemme de Rodrigue sont plus fortement exprimés.

Les modifications de 1660

Le dénouement subit une inflexion capitale. En 1637 et encore en 1648, Chimène remettait en cause la date de son mariage, non son mariage avec Rodrigue.

En 1660, Corneille est plus vague. Il s'explique sur ce changement dans *l'Examen* du *Cid* dont il fait précéder sa pièce en 1660 : « Chimène, écrit-il, ne se tait qu'après le roi […] a différé l'exécution [de son ordre] et lui a laissé lieu d'espérer qu'avec le temps il y pourra survenir quelque obstacle. Je sais bien que le silence passe d'ordinaire pour une marque de consentement ; mais quand les rois parlent, c'en est une de contradiction ; et le seul moyen de les contredire avec le respect qui leur est dû, c'est de se taire quand leurs ordres ne sont pas si pressants qu'on ne puisse remettre à s'excuser de leur obéir lorsque le temps en sera venu, et conserver cependant une espérance légitime d'un empêchement. »

Corneille suggère qu'on peut remettre en cause, non la date, mais la conclusion du mariage. La protestation de Chimène ne porte plus sur le fait d'épouser Rodrigue peu après la mort du Comte, elle porte sur le fait d'épouser Rodrigue un jour.

DE NOUVELLES INTERPRÉTATIONS

Aussi la critique moderne, tenant compte de ces éléments, a-t-elle imaginé d'autres dénouements possibles. Octave Nadal considère que, tout en continuant de s'aimer, Rodrigue et Chimène ne pourront pas se marier : « Ils vont retourner à la solitude, à la fois emplis et privés l'un de l'autre[1]. »

André Stegmann aboutit à une conclusion voisine : « L'héroïsme des deux amoureux consiste à passer de l'être divisé à l'unité de l'être retrouvé qui n'en reste pas moins un être déchiré[2]. »

Autrement dit, si le drame a eu pour conséquence paradoxale de permettre à Chimène et à Rodrigue de découvrir leur générosité mutuelle, de se hisser ensemble au même niveau héroïque et, par là, d'approfondir leur amour, ils ne pourront pas malgré tout se marier. L'épreuve, en leur révélant la profondeur de leur passion, les a mutilés à jamais. Ils resteront à la fois proches et lointains. Dans cette optique, le dénouement du *Cid* devient plus amer.

Selon son tempérament, sa sensibilité, chaque lecteur est donc en définitive libre d'imaginer Rodrigue et Chimène heureux ou non. Que ces interprétations différentes (et parfois contradictoires) ne nous troublent pas cependant. C'est le propre des chefs-d'œuvre que de susciter de perpétuelles questions. C'est aussi la marque de leur complexité, de leur richesse et de leur intérêt par-delà les siècles.

---

1. Octave Nadal, *Le Sentiment de l'amour dans l'œuvre de Pierre Corneille*, Gallimard, 1948, p. 170.
2. André Stegmann, *L'Héroïsme cornélien, genèse et signification*, A. Colin, 1968, tome 2, p. 500 et 501.

TROISIÈME PARTIE

Lectures
analytiques

Texte 1 | [Les stances de Rodrigue]
(acte I scène 6, vers 291 à 310)

DON RODRIGUE

Percé jusques au fond du cœur
D'une atteinte imprévue aussi bien que mortelle,
Misérable[1] vengeur d'une juste querelle,
Et malheureux objet d'une injuste rigueur,
295 Je demeure immobile, et mon âme abattue
Cède au coup qui me tue.
Si près de voir mon feu récompensé,
Ô Dieu, l'étrange[2] peine !
En cet affront mon père est l'offensé,
300 Et l'offenseur le père de Chimène !

Que je sens de rudes combats !
Contre mon propre honneur mon amour s'intéresse[3] :
Il faut venger un père, et perdre une maîtresse.
L'un m'anime le cœur[4], l'autre retient mon bras.
305 Réduit au triste choix ou de trahir ma flamme,
Ou de vivre en infâme,
Des deux côtés mon mal est infini.
Ô Dieu, l'étrange peine !
Faut-il laisser un affront impuni ?
310 Faut-il punir le père de Chimène ?

---

1. *Misérable* : digne de pitié.
2. *Étrange* : extraordinaire, hors du commun.
3. *S'intéresse* : prend parti pour.
4. *M'anime le cœur* : stimule mon courage.

INTRODUCTION

Situer le passage

Déshonoré par le Comte qui l'a souffleté, don Diègue somme son fils Rodrigue de le venger. Mais le Comte est le père de Chimène qu'il aime passionnément. L'idée d'affronter un tel adversaire le désespère. Que choisir de la vengeance ou de l'amour ?

Dégager des axes de la lecture

Rodrigue s'exprime en stances, qui sont une forme lyrique apparue dans les pièces de théâtre à la fin du XVIᵉ siècle. Elles constituent un monologue pathétique, d'autant plus émouvant qu'il s'épanouit dans une écriture musicale.

UNE FORME LYRIQUE

Une organisation en strophes

Les vingt vers se répartissent en deux strophes de dix vers chacune. Leur nature est hétérométrique[1]. Le premier vers de chaque strophe est un octosyllabe ; les quatre suivants sont des alexandrins ; le sixième est un vers de six syllabes ; le septième, un décasyllabe ; le huitième, de nouveau un vers de six syllabes ; et les deux derniers sont à leur tour des décasyllabes. L'hétérométrie se double d'une symétrie parfaite dans la disposition des vers.

Un système clos

Les strophes de ces stances se distinguent de celles qui existent dans d'autres formes poétiques. Chacune d'elles est

---

1. *Hétérométrie* : des vers (mètres) de longueur différente.

en effet une unité autonome, alors que dans un sonnet par exemple, la strophe (un quatrain ou un tercet) peut voir son sens ou sa construction grammaticale se prolonger dans la suivante. Chaque strophe est ici indépendante de l'autre : elle est un tout, un ensemble complet.

Un jeu symétrique de rimes

Les rimes de la première strophe s'organisent de la façon suivante : a (c*œur*), b (mort*elle*), b (quer*elle*), a (rigu*eur*), c (abat*tu*), c (*tue*), d (récompen*sé*), e (p*eine*), d (offen*sé*), e (chim*ène*).

Les rimes de la seconde strophe sont de sonorités différentes. Mais leur disposition obéit au même schéma : a (comb*ats*), b (s'int*éresse*), b (maît*resse*), a (b*ras*), c (fl*amme*), c (inf*âme*), d (inf*ini*), e (p*eine*), d (impu*ni*), e (Chim*ène*).

UN MONOLOGUE PATHÉTIQUE

Un conflit douloureux

Ces stances traduisent les sentiments contradictoires qui bouleversent Rodrigue : d'un côté le désir de venger son père ; de l'autre celui de conserver l'amour de Chimène. Cette contradiction s'exprime de diverses manières : tantôt par des constructions en chiasme[1] : « [...] mon père est l'offensé, / Et l'offenseur est le père de Chimène » (v. 299-300) ; tantôt par des antithèses : « L'un m'anime le cœur, l'autre retient mon bras » (v. 304) ; tantôt par une alternative : « [...] ou de trahir ma flamme, / Ou de vivre en infâme » (v. 305-306).

---

1. *Chiasme* : figure de style qui repose sur une disposition croisée des mots.

▌ Un conflit sans issue

Rodrigue ne parvient pas dans cet extrait à résoudre son débat intérieur. Il analyse sa situation, plaint son sort, beaucoup plus qu'il ne s'achemine vers une décision. Les exclamations finales de la première strophe marquent son désarroi. Les deux phrases interrogatives sur lesquelles s'achève la seconde strophe manifestent son indécision. Rodrigue est sous le « coup » (v. 296) des événements qui l'accablent.

▌ Un registre pathétique

Aussi le champ lexical de la souffrance est-il permanent et d'une grande intensité. Les adjectifs qualificatifs qui relèvent de la plainte sont fréquents : « misérable » (v. 293), « malheureux » (v. 294), « rudes combats » (v. 301), « triste choix » (v. 305). Les substantifs ne sont pas moins nombreux : « rigueur » (v. 294), « affront » (v. 299), « combats » (v. 301), « mal » (v. 307). Certaines expressions sont enfin d'une violente puissance : « coup qui me tue » (v. 296), « trahir ma flamme » (v. 305), « vivre en infâme » (v. 306), « mon mal est infini » (v. 307).

UNE ÉCRITURE MUSICALE

▌ Des parallélismes de construction

Ces deux strophes sont comme les couplets d'un lamento (chant douloureux). Le parallélisme des constructions s'apparente en effet à l'écriture d'une triste mélodie. Les deux derniers vers de chaque strophe sont ainsi des distiques, dont la construction est identique. À l'intérieur de chaque strophe, des mots se répondent comme en écho soit par leur sens soit par leur forme : « mortelle » (v. 292) annonce « tue » (v. 296) ; « juste » préfigure « injuste » (v. 293, 294), « choix » (v. 305) est repris par « Des deux côtés » (v. 307).

▌ Le retour d'un refrain

Un même vers plaintif se retrouve dans les deux strophes : « Ô Dieu, l'étrange peine ! » (v. 298-308)/(« Étrange »
possède ici le sens d'« extraordinaire »). Un même jeu significatif de rimes revient également : « peine » qui rime avec
« Chimène » figure dans l'une et l'autre strophes, (v. 298,
300 ; 308, 310). Ce n'est pas par hasard. Ce qui désespère
Rodrigue, ce n'est pas de se battre, mais de se battre contre
le Comte.

CONCLUSION

Tant dans leur construction que dans leur écriture, les stances procèdent d'une poésie très élaborée, d'une esthétique
raffinée. Lieu privilégié du débat intérieur, elles permettent au
spectateur de comprendre quels troubles agitent le personnage. Si dans ces deux strophes, Rodrigue clame son impos-
sibilité de choisir entre l'honneur et l'amour, il découvrira peu
à peu que ce même honneur et ce même amour l'obligent à
combattre le Comte.

CHIMÈNE

905 Ah ! Rodrigue ! il est vrai, quoique ton ennemie,
Je ne puis te blâmer d'avoir fui l'infamie ;
Et, de quelque façon qu'éclatent mes douleurs,
Je ne t'accuse point, je pleure mes malheurs.
Je sais ce que l'honneur, après un tel outrage,
910 Demandait à l'ardeur d'un généreux[1] courage :
Tu n'as fait le devoir que d'un homme de bien ;
Mais aussi, le faisant, tu m'as appris le mien.
Ta funeste valeur m'instruit par ta victoire ;
Elle a vengé ton père et soutenu ta gloire :
915 Même soin me regarde[2], et j'ai, pour m'affliger,
Ma gloire à soutenir, et mon père à venger.
Hélas ! ton intérêt[3] ici me désespère.
Si quelque autre malheur m'avait ravi mon père,
Mon âme aurait trouvé dans le bien de te voir
920 L'unique allègement qu'elle eût pu recevoir ;
Et contre ma douleur j'aurais senti des charmes[4],
Quand une main si chère eût essuyé mes larmes.
Mais il me faut te perdre après l'avoir perdu ;
Cet effort sur ma flamme à mon honneur est dû ;
925 Et cet affreux devoir, dont l'ordre m'assassine,
Me force à travailler moi-même à ta ruine.
Car enfin n'attends pas de mon affection
De lâches sentiments pour ta punition.
De quoi qu'en ta faveur notre amour m'entretienne,

---

1. *Généreux / Générosité* : noble, élevé, qui provient d'une âme bien née.
2. *Me regarde* : m'incombe.
3. *Ton intérêt* : l'amour que je te porte.
4. *Charmes* : des remèdes comme magiques.

930 Ma générosité doit répondre à la tienne :
Tu t'es, en m'offensant, montré digne de moi ;
Je me dois, par ta mort[1], montrer digne de toi.

INTRODUCTION

Situer le passage

Rodrigue s'est introduit chez Chimène quelques heures seulement après avoir tué en duel le père de celle-ci. Il vient non s'excuser, mais s'offrir en victime consentante. Comme il a dû venger son père, elle doit à son tour venger le sien.

Dégager des axes de lecture

La tirade constitue la réponse de Chimène à cette offre d'immolation de Rodrigue. Elle s'y montre en « ennemie » (v. 905) compréhensive (v. 905-917) qui laisse échapper des regrets amoureux mais qui finalement se révèle une « ennemie » implacable (v. 927-932).

UNE « ENNEMIE » COMPRÉHENSIVE

Une argumentation concessive[2]

Victime de Rodrigue, Chimène ne lui reproche pourtant rien : « Je ne puis te blâmer » (v. 906), lui dit-elle. De prime abord paradoxal, son discours relève en réalité de la concession, introduite par la proposition subordonnée elliptique « quoique [je sois] ton ennemie » (v. 905). Rodrigue, reconnaît-elle, n'avait pas d'autre choix que de tuer son père.

---

1. *Par ta mort* : en réclamant ta mort.
2. *Concession* : figure de rhétorique par laquelle on « cède » sur un point pour mieux contredire sur d'autres points. C'est un raisonnement par opposition.

Mais elle ne lui donne raison sur ce point que pour mieux retourner cette apparente et en soi étonnante absolution en franche opposition (v. 911-912).

Une compréhension douloureuse

La concession de Chimène est d'autant plus remarquable qu'elle souffre de la mort de son père. Elle ne provient ni de son insensibilité ni de sa passion qui lui ferait oublier son sort. Chimène évoque au contraire ses « douleurs » (v. 907), ses « malheurs » (v. 908), rappelle « l'outrage » (v. 909) qu'elle vient de subir, qualifie de « funeste » la « valeur » (v. 913) de Rodrigue. Elle comprend mais n'excuse ni ne pardonne rien.

L'expression d'un idéal aristocratique

C'est qu'elle partage avec Rodrigue le même système de valeurs nobiliaires, fondé sur l'exigence première de « l'honneur » (v. 909). Elle admet que Rodrigue se devait de fuir « l'infamie » (v. 906) et, en conséquence, se battre. Mais ce même « honneur » lui impose de se venger à son tour. Par là, Chimène montre qu'elle est à tous égards l'égale de Rodrigue.

UN REGRET AMOUREUX

La reconstruction du passé

Pour le convaincre qu'elle n'est son « ennemie » que par obligation, Chimène imagine ce qu'aurait été son attitude si son père était mort dans des circonstances différentes. Introduite par « si » (v. 918), la proposition subordonnée conditionnelle renvoie à un irréel du passé que traduisent les conditionnels passés (« aurait trouvé », v. 919 ; « aurais senti », v. 921) et les subjonctifs plus-que-parfait (« eût pu », v. 920 ; « eût essuyé », v. 922).

▍Une mélodie élégiaque[1]

Cette invasion dans l'irréel laisse entendre les notes assourdies d'une élégie amoureuse. Chimène s'attarde en effet sur la consolation que lui aurait procurée l'amour de Rodrigue (v. 920). Son discours se fait plus doux, plus tendre. « Une main si chère » (v. 922) aurait essuyé ses « larmes ».

▍Le retour au réel

La conjonction de coordination « mais » (v. 923) marque le retour brutal à la réalité. Aux conditionnels passés s'oppose désormais le présent de l'indicatif. À la consolation rêvée succède le vocabulaire du « devoir » (v ; 926), de l'obligation (« l'ordre » v. 926) qui « assassine » (v. 926 = lui cause une douleur mortelle) Chimène, mais qu'elle assumera.

UNE « ENNEMIE » IMPITOYABLE

▍Le triomphe du devoir

La locution « car enfin » (v. 927) prévient une éventuelle objection de Rodrigue (et aussi du spectateur) : Chimène n'entend pas que son amour la conduise à le pardonner. Ce serait obéir à de « lâches sentiments » (v. 928). Les rimes plates « affection / punition » (v. 927-928) condensent et résument les propos de Chimène. Elle le poursuivra malgré l'amour qu'elle éprouve pour lui (v. 929).

▍La constitution d'un couple héroïque

C'est paradoxalement au moment où Chimène et Rodrigue deviennent adversaires qu'ils se constituent en couple héroïque. « Ma générosité doit répondre à la tienne », lui

---

1. Une élégie exprime des sentiments de mélancolie ou de tristesse. C'est l'irréel du passé qui la fait naître ici.

dit-elle (v. 930) dans un effet de miroir et de réciprocité. Le parallélisme dans les deux derniers vers des pronoms personnels (« Tu t'es », v. 931 ; « Je me dois », v. 932), l'identité de construction des hémistiches (« montré digne de moi » ; « montrer digne de toi ») illustrent leur commune grandeur.

CONCLUSION

Cette tirade de Chimène produit trois effets. Elle relance d'abord l'action après la mort du Comte. Elle témoigne ensuite de l'héroïsme de Chimène qui sacrifie sa passion à son devoir. Elle teinte la scène de pathétique. Que deux ennemis qui se haïssent s'affrontent n'a rien d'émouvant. Mais que deux « amants » qui s'aiment encore soient contraints de s'opposer ne peut qu'appeler sur eux la pitié du spectateur.

Texte 3 [Le chant des regrets]
(acte III, scène 4, vers 980 à 998)

DON RODRIGUE

Que je meure !

CHIMÈNE

Va-t'en.

DON RODRIGUE

À quoi te résous-tu ?

CHIMÈNE

Malgré des feux si beaux qui troublent ma colère,
Je ferai mon possible à bien venger mon père ;
Mais, malgré la rigueur d'un si cruel devoir,
Mon unique souhait est de ne rien pouvoir.

DON RODRIGUE

985   Ô miracle d'amour !

CHIMÈNE

Ô comble de misères !

DON RODRIGUE

Que de maux et de pleurs nous coûteront nos pères !

CHIMÈNE

Rodrigue, qui l'eût cru ?

DON RODRIGUE
Chimène, qui l'eût dit ?

CHIMÈNE
Que notre heur[1] fût si proche et sitôt se perdît ?

DON RODRIGUE
Et que si près du port, contre toute apparence,
990 Un orage si prompt[2] brisât notre espérance ?

CHIMÈNE
Ah ! mortelles douleurs !

DON RODRIGUE
Ah ! regrets superflus !

CHIMÈNE
Va-t'en, encore un coup[3], je ne t'écoute plus.

DON RODRIGUE
Adieu ; je vais traîner une mourante vie,
Tant que[4] par ta poursuite elle me soit ravie.

CHIMÈNE
995 Si j'en obtiens l'effet[5], je t'engage ma foi
De ne respirer pas un moment après toi.
Adieu ; sors, et surtout garde bien qu'on te voie.

---

1. *Heur* : bonheur
2. *Si prompt* : si soudain.
3. *Encore un coup* : encore une fois (à l'époque l'expression n'est pas encore devenue familière).
4. *Tant que* : jusqu'à ce que.
5. *L'effet* : la condamnation à mort de Rodrigue.

INTRODUCTION

Situer le passage

S'offrant en victime expiatoire, Rodrigue vient de vainement supplier Chimène de le tuer afin qu'elle venge sur lui la mort de son père. Chimène s'y refuse sans vouloir pour autant transiger avec son devoir. Elle l'aime trop pour devenir sa meurtrière. Mais elle est trop fidèle à la mémoire de son père pour ne pas la défendre. Rodrigue l'interroge alors sur ce qu'elle compte faire.

Dégager des axes de lectures

L'extrême tension qui marque cette première entrevue de Chimène et de Rodrigue après la mort du Comte retombe pour donner naissance à un duo lyrique. Celui-ci témoigne de l'union pathétique des deux « amants » en dépit des événements qui les opposent irrémédiablement.

UN DUO LYRIQUE

Les effets de parallélisme

Déchirée entre sa passion et son devoir, Chimène souhaite « ne rien pouvoir » (v. 984). Son aveu amorce un duo. Ses paroles font en effet écho à celles de Rodrigue.

Tous deux se répondent de la même façon : tantôt à l'hémistiche[1] de l'un correspond un hémistiche de l'autre (v. 985, 987, 991) ; tantôt un alexandrin de l'un renvoie à un alexandrin de l'autre (v. 986 et 988).

Cette symétrie de structure est renforcée par celle des constructions grammaticales : mêmes phrases exclamatives

---

1. *Un hémistiche* : la moitié d'un vers. Comme il s'agit ici d'alexandrins, les hémistiches sont de six syllabes.

(v. 985, 991) ou interrogative (v. 987) ; même emploi du conditionnel passé seconde forme (« eût cru » / « eût dit », v. 987).

Ces effets de parallélisme rappellent le chant amébée de la poésie lyrique antique[1] dans laquelle deux amoureux se répondaient vers à vers ou distique à distique[2].

Une plainte mélodique

Ce duo déplore un bonheur perdu. Tant dans les paroles de Rodrigue que de Chimène, le champ lexical dominant est celui du regret et de la plainte : « misères » (v. 985) ; « maux et [...] pleurs » (v. 986) ; « brisât notre espérance » (v. 990) ; « mortelles douleurs » (v. 991).

Les rythmes et les sons s'accordent en outre au sens. Sans forte césure[3] à l'hémistiche, les alexandrins ont la fluidité de l'abandon et de l'épanchement nostalgique. Les consonnes dites sourdes (p, t) ou nasales (m) ainsi que les voyelles dites fermées (i, û) atténuent les effets sonores pour composer une mélodie empreinte de tristesse. Que de *m*aux et de *p*leurs nous coûteront nos *p*ères ! (v. 986)/Que notre heur *f*ût si *p*roche, et sitôt se *p*erdît ? (v. 988, 990).

UNE UNION PATHÉTIQUE

Une entente douloureuse

Rodrigue et Chimène sont sentimentalement à l'unisson dans ce duo lyrique. L'occurrence des pronoms personnels de la première personne du pluriel (« nous », v. 986) et des

---

1. Comme par exemple dans les *Géorgiques* du poète latin Virgile (premier siècle avant notre ère).
2. *Un distique* : groupement de deux vers rimant ensemble et formant une unité de sens.
3. Dans l'alexandrin classique, la césure est une coupe qui oblige le lecteur à marquer une pause et qui sépare ainsi le vers en deux moitiés égales.

adjectifs possessifs « nos », (v. 986) et « notre » (v. 988, 990) traduit la constitution et la permanence d'un couple.

Aux vers 989 et 990, Rodrigue reprend et développe le thème, évoqué par Chimène, du bonheur perdu (v. 989), comme pour mieux établir leur communion de pensée.

Leur entente n'en devient que plus pathétique, dans la mesure où elle est celle d'un regret. C'est paradoxalement au moment même où tout semble les séparer définitivement que Rodrigue et Chimène éprouvent les mêmes sentiments et réagissent de la même façon.

Une issue tragique

Leur accord est d'ailleurs tel qu'ils envisagent leur avenir de manière identique. Rodrigue accepte par avance sa mort (v. 993, 994). Chimène s'engage de son côté à « ne respirer pas un moment » après lui (v. 996). Le supplice de l'un entraînera le suicide de l'autre. Leur entrevue s'achève sur un « adieu » (v. 993, 997) mutuel. Ce n'est toutefois pas une rupture, mais bien plutôt une promesse de se réunir dans la mort. Rodrigue et Chimène se révèlent dans l'épreuve d'une égale grandeur tragique.

CONCLUSION

Ce duo lyrique offre en définitive un triple intérêt. Il colore la scène d'une évidente tonalité poétique. Il en accentue le caractère pathétique. Il confirme que, chez Corneille, la passion amoureuse, quels que soient les obstacles qu'elle puisse rencontrer, ne détruit ni la « générosité » ni l'estime.

Texte 4 | [Le combat contre les Maures]
(acte IV, scène 3, vers 1301 à 1328)

DON RODRIGUE

[...]

Ô combien d'actions, combien d'exploits célèbres[1]
Sont demeurés sans gloire au milieu des ténèbres[2],
Où chacun, seul témoin des grands coups qu'il donnait,
Ne pouvait discerner où le sort inclinait[3] !
1305 J'allais de tous côtés encourager les nôtres,
Faire avancer les uns et soutenir les autres,
Ranger ceux qui venaient, les pousser à leur tour,
Et ne l'ai pu savoir[4] jusques au point du jour.
Mais enfin sa clarté montre notre avantage ;
1310 Le More voit sa perte, et perd soudain courage :
Et voyant un renfort qui nous vient secourir,
L'ardeur de vaincre cède à la peur de mourir.
Ils gagnent leurs vaisseaux, ils en coupent les châbles,
Poussent jusques aux cieux des cris épouvantables,
1315 Font retraite en tumulte, et sans considérer
Si leurs rois avec eux peuvent se retirer.
Pour souffrir ce devoir leur frayeur est trop forte ;
Le flux les apporta, le reflux[5] les remporte ;
Cependant que leurs rois, engagés parmi nous,
1320 Et quelque peu des leurs, tous percés de nos coups,
Disputent vaillamment et vendent bien leur vie.
À se rendre moi-même en vain je les convie :

---

1. *Exploits célèbres* : qui auraient mérité d'être célébrés.
2. *Au milieu des ténèbres* : tout le combat se déroule durant la nuit.
3. *Inclinait* : penchait.
4. *Ne l'ai pu savoir* : ne pas savoir de quel côté était la victoire.
5. *Reflux* : la marée descendante.

Le cimeterre[1] au poing ils ne m'écoutent pas ;

Mais voyant à leurs pieds tomber tous leurs soldats,

1325 Et que seuls désormais en vain ils se défendent,

Ils demandent le chef ; je me nomme, ils se rendent.

Je vous les envoyai tous deux en même temps ;

Et le combat cessa faute de combattants.

INTRODUCTION

Situer le passage

Les Maures ont attaqué le royaume de Castille. Sur la suggestion de son père, Rodrigue a pris le commandement d'une troupe et a engagé la bataille. Revenu vainqueur, il entreprend à la demande du roi, le récit du combat.

Dégager des axes de lecture

Cette description de l'ultime affrontement (v. 1301-1308) débouche sur la déroute de l'ennemi (v. 1309-1321). Avec la victoire se concrétise l'héroïsation de Rodrigue (v. 1322-1328).

L'ULTIME AFFRONTEMENT

Un lyrisme épique

Rodrigue s'exprime sur le registre épidictique[2] de l'admiration. L'interjection laudative « ô », que renforce l'anaphore (➔ PROBLÉMATIQUE 10, p. 95) « combien » (v. 1301), exalte la valeur des soldats qu'il commande. Les « ténèbres » (v. 1302) ne lui permettent certes pas de les individualiser : « chacun » est « seul témoin des grands coups qu'il donnait » (v. 1303).

---

1. *Cimeterre* : sabre oriental à large lame recourbée.
2. *Épidictique* : relatif à l'éloge (ou à l'inverse au blâme).

Mais cette absence d'individualisation n'en rend le combat que plus vaste et plus héroïque. Le champ sémantique magnifie la lutte : « actions » et « exploits » (v. 1301) sont des redondances qui l'agrandissent aux dimensions d'un immense conflit.

Rodrigue chef de guerre

Du pluriel anonyme des « actions » émerge le « Je » solitaire de Rodrigue. Construits autour de verbes de mouvement (« encourager », « faire avancer », « soutenir... »), les vers 1305 à 1308 traduisent son omniprésence : « J'allais de tous côtés » (v. 1305). Rodrigue est l'âme du combat. Il est d'ailleurs le premier à pressentir la victoire. Le pronom objet neutre (l') de « ne *l*'ai pu savoir » (v. 1308) reprend en effet la proposition « discerner où le sort inclinait » (v. 1305).

LA DÉROUTE DE L'ENNEMI

La défaite et la panique

La formule « mais enfin » (v. 1309) provoque l'accélération du temps pour l'arrêter sur le moment attendu : « Le More voit sa perte » (v. 1310). L'emploi du singulier pour désigner la foule ennemie, selon un procédé courant dans l'épopée, souligne l'affolement. L'« ardeur » se dégrade en « peur » (v. 1312). L'amplification oratoire que constitue l'expression : pousser des cris « jusques aux cieux », et l'adjectif « épouvantable » (v. 14) accentuent l'impression de panique. Ce qui pourrait être une retraite en bon ordre devient un « tumulte » (v. 1315). Construit sur une antithèse, le vers 1318 marque la fin de la bataille : « Le flux les apporta, le reflux les remporte ».

La préservation de l'image royale

Par leur bravoure, les rois maures échappent toutefois au discrédit de leurs troupes. « Engagés » (v. 1319) jusque dans les rangs adverses, ils se battent jusqu'au bout. L'adverbe « vaillamment » (v. 1321) fait un doublet avec le groupe verbal « vendent bien leur vie » (v. 1321). Dans ce combat désormais sans espoir, tout est perdu pour eux, excepté l'honneur. Le monarchiste qu'est Corneille ne saurait admettre que le prestige de la royauté fût atteint.

L'HÉROÏSATION DE RODRIGUE

▌ Une générosité admirable

La victoire parachève le processus d'héroïsation de Rodrigue. Sa générosité éclate dans l'offre de reddition qu'il propose : « À se rendre *moi-même* en vain *je* les convie » (v. 1322). Ses qualités morales ne sont pas moindres que ses prouesses guerrières. Rodrigue apparaît comme seul capable de conduire et de maîtriser les événements (« moi-même » / « je »).

▌ Une omnipuissance instantanée

Le vers 1326 l'installe définitivement dans sa gloire : « Ils demandent le chef ; je me nomme, ils se rendent ». La juxtaposition des trois verbes souligne la rapidité de l'enchaînement chronologique, exprime la complète et instantanée efficacité du héros. La parole devient action.

Les deux derniers vers assurent la transaction de la narration qui renvoie du passé au présent de l'intrigue. « Et le combat cessa faute de combattants » (v. 1328) est depuis passé en proverbe.

CONCLUSION

Cette fin du récit du combat contre les Maures fait de Rodrigue le digne successeur du Comte. D'assassin, il est devenu un héros. La raison d'État interdit désormais au roi de le traiter comme un simple criminel.

Bibliographie

ÉTUDES SUR LE GENRE LITTÉRAIRE

- COUPRIE Alain, *Lire la tragédie*, Paris, Dunod, 1998. Une étude d'ensemble sur le genre et les thèmes de la tragédie.
- GUICHEMERRE Roger, *La Tragi-comédie*, PUF, 1981. Ouvrage clair, documenté, nécessaire à la compréhension du genre de la tragi-comédie auquel appartient d'abord *Le Cid*.

ÉTUDES D'ENSEMBLE SUR *LE CID*

- COUPRIE Alain, *Le Cid*, PUF, 1989. Une étude littéraire, historique et dramaturgique de la pièce.
- COUTON Georges, *Réalisme de Corneille*, Les Belles Lettres, 1953. Étude des rapports de l'œuvre et de l'actualité.
- NADAL Octave, *Le Sentiment de l'amour dans l'œuvre de P. Corneille*, Gallimard, 1948. Une étude déjà ancienne, mais toujours actuelle, de la passion amoureuse (voir le chapitre consacré au *Cid*).
- PRIGENT Michel, *Le Héros et l'État dans la tragédie de Pierre Corneille*, PUF, 1986. Une analyse des rapports de l'héroïsme et de la politique (lecture indispensable).

ÉTUDES DE POINTS PARTICULIERS SUR *LE CID*

- BÉNICHOU Paul, « Le mariage du Cid » dans *L'Écrivain et ses travaux*, J. Corti, 1967. Eclairage pertinent sur le dénouement.
- SOURIAU André, « L'espace-temps dans *Le Cid* », *Revue d'esthétique*, 1950, n° 3.
- PAVIS Patrice, « Dire et faire au théâtre. L'action parlée dans les stances du *Cid* », *Études littéraires*, 1980, n° 4.
- ROHOU Jean, « Le mariage de Chimène : dépravation morale, transgression imaginaire ou intégration politique ? », *La Licorne*, 1991, n° 20, p. 51-65.

Index

Guide pour la recherche des idées

Les références renvoient aux pages du Profil.

PROFIL HISTOIRE LITTÉRAIRE

PROFIL PRATIQUES DU BAC

Imprimé en France par **Bussière**
à Saint-Amand (Cher)
Dépôt légal : janvier 2006. N° d'édit. : 68174. N° d'imp. : 054827/1.